사례로 풀어본

임신·출산·육아 생활법률

사례로 풀어본

임신·출산·육아 생활법률

초판 1쇄 인쇄 2017년 2월 13일
초판 1쇄 발행 2017년 2월 20일

지은이 이제한
펴낸이 김장근
펴낸곳 ㈜엠디 인사이트
마케팅 총괄 임유진
마케팅 본부 에숀쿠로브 파르비스, 강찬미
출판등록 제2016-000111호
주소 서울시 서초동 서초중앙로 18길 35 C&C 빌딩 4층 402호 (서초동)
전화 02-6959-4080
팩스 02-6959-4088
블로그 blog.naver.com/ilyoilbooks
페이스북 www.facebook.com/ilyoilbooks
홈페이지 www.mdinsightkorea.com
이메일 ilyoilbooks@naver.com

값 14,000원

사례로 풀어본

임신·출산·육아 생활법률

이제한 지음

일요일

: 서문 :

아이를 키우는 데
왜 '법'이 필요한가?

'출산 전, 산후조리원 계약을 해지해도 계약금을 돌려받을 수 있을까요?', '위층 층간소음 때문에 아이가 집에서 공부하기 힘들 지경이에요. 자제시킬 방법 없을까요?', '볼라드에 걸려 넘어진 우리 아이, 민원을 넣을 수 있을까요?' 등 아이를 키우다 보면 수 없이 많은 난제에 봉착하게 되죠. 이 복잡한 수수께끼 같은 질문에 해답을 품고 있는 이는 가족도, 친구도, 댓글도 아닌 바로 '법'입니다. 법률 지식을 지니고 있다면 간단하게 해결될 일이건만, 끙끙 앓다가 일만 더 키우는 경우가 허다합니다.

법은 아는 이에게는 무기요, 모르는 이에게는 두려움의 대상입니다. 법을 무기로 삼아 아무 곳에나 대고 마구 휘둘러서야 안 되겠지만, 적어도 자신에게 날아오는 화살을 막아낼 수 있는 방패로 적절히 사용할 수는 있어야 하지 않겠습니까? 또한 그런 부모의 모습을 보여주는 것이 자녀에게도 살아있는 교육이고 공부일 것이라 생각합니다. 다만 우리가 평소에는 그 중요성을 인식하지 못하고 관련 지식 공부에 관심을 두지 않기에, 막상 문제가 닥친 후에야 주변에 아는 변호사를 찾아 사돈의 팔촌까지 동원하는 것입니다.

그렇다면 왜 이런 일이 반복되는 걸까요? 부모님들이 우리 아이 '밥' 잘 먹이는 방법을 담은 책은 몇 권도 사면서, 막상 우리 아이를 지켜줄 '법'을 공부하지 않는 이유는 뭘까요? 그건 바로 법이 어렵다는 선입견 때문입니다. 당신이야 전문가이니 법이 쉽겠지, 라고 말씀하신다면 저는 단연코 법은 누구에게나 '재미있다'고 말씀드리고 싶습니다. 하지만 그 재미있는 법을 풀어내는 방식이 여전히 딱딱하고 설명적이기에 법을 모르는 일반인들의 입장에서는 어렵게 느껴지는 것이 어쩌면 당연한지도 모르겠습니다.

육아에 서툴러 울던 TV 속 아이 엄마가 '엄마도 엄마가 처음이라 그래'라고 말하는 모습을 본 적이 있습니다. 기억해 보면, 저도 첫아이를 키우며 한밤중에 갑자기 열이 올라 괴로워하는 아이를 보며 육아의학 지침서를 닳도록 넘겼고, 우리 아이가 뒤쳐지지 않을까 하는 생각에서 육아 교육서를 수없이 펼쳐봤었습니다. 처음이기에 긴장하고, 더 애썼던 것 같습니다. 그럼에도 두 아이를 키우며 부딪친 수많은 당황스러운 순간들은 여느 부모님들과 다르지 않았습니다. 아무리 준비를 하고 예방하려 노력해도 모든 사고를 막을 수는 없으니까요. 다행히도 제게는 '법'이라는 방패이자 무기가 있었기에 육아를 하면서 발생했던 크고 작은 사건과 사고에 유연하게 대처 가능했습니다. 하지만 법을 잘 모르는 초보 부모들에게는 작은 사건 하나에도 잠들지 못하고 고민에 고민을 하다 저에게까지 물어오는 경우가 많았습니다. 법률적인 조언 하나로 무거웠던 고민이 해결되는 모습을 보며, 아직도 법률 지식을 어렵고 먼 대상으로만 인식하는 부모님들의 모습이 안쓰럽지 않을 수 없었습니다.

이에, 저는 세상의 모든 부모들이 아이를 키우면서 언제든지 맞닥뜨릴 수 있는 사건과 사고에 민첩하고 적절하게 대응하는 데 도움이 되는 현실적인 책, 읽히는 책을 집필하고 싶었습니다.

그렇게 탄생한 〈사례로 풀어본 임신 · 출산 · 육아 생활법률〉은 다양한 연령의 대한민국 부모님들을 대상으로 출산과 육아를 하면서 가장 궁금했던 생활법률이 무엇이었는지를 심층 인터뷰하여 취합한 내용을 바탕으로 사례를 구성했습니다. 크게 취학 전 아동과 취학 후 아동에게 필요한 내용으로 구분하였으니 자녀의 시기에 맞게 읽으셔도 좋습니다. '영재인 우리 아이, 초등학교에 일찍 입학시켜도 될까요?', '친구의 실수로 다친 아이, 치료비를 받을 수 있을까요?' 등 구미를 당길 만한 내용부터 실용적인 법률까지 다양하게 담겼습니다. 가장 보편적으로 일어날 수 있을 만한 사건을 중심으로 사례를 묶었으며, 63가지 사례는 모두 실제 생활에 적용 가능한 만큼 읽고 기억해두셨다가 가족을 위해, 또는 위기에 처한 주변 사람들을 위해 활용하시길 바라봅니다.

무엇보다, 앞서 말씀드렸듯이 읽히는 책, 이해하기 쉬운 접근방식을 유지하기 위해 고심에 고심을 거듭하였습니다. 저의 이러한 고심을 덜어주기 위해 함께 머리를 맞대주신 도서출판 일요일의 김장근 대표님께도 이 자리를 빌려 심심한 감사의 말씀을 전합니다. 부족한 글이지만 저의 작은 노력을 담은 이 책이 세상 모든 부모님들에게 도움이 될 것이라며 말씀해주시며, 출간되기를 학수고대한 주위의 많은 분들에게도 감사드립니다.

마지막으로, 이 책에서 풀어낸 다양한 사례와 생활법률 지식이 대한민국 모든 부모의 어깨 위에 놓인 '출산과 육아'라는 짐을 조금이나마 덜어내는 데 도움이 되기를 진심으로 바랍니다.

2017년 봄, 이 제 한

차례

2장 우리 아이가 학교에 입학했어요

: 취학 후 아이 관련 법률 상식 :

1장

우리 아이가 태어났어요

: 취학 전 아이 관련 법률 상식 :

CASE 01

뱃속의 아이, 아들인지 딸인지 미리 알 수 없을까요?

STORY

오랜 기다림 끝에 임신에 성공해 4개월째에 접어든 유선 씨. 얼마 전에 정기검진을 받으러 산부인과에 갔다가 문득 산모를 위한 육아책에서 임신 후 3~4개월 정도면 초음파상으로 태아의 성별을 알 수 있다는 내용을 읽은 사실이 떠올랐습니다. 그래서 주치의 선생님께 아이가 엄마와 아빠 중에 누굴 닮았을지 궁금하다며 은근슬쩍 아이의 성별에 대해 여쭤보았는데요. 평소 인자하기로 유명한 선생님은 은은한 미소를 지으며 “엄마 아빠의 자식인데 두 분을 다 닮았겠지요” 하고 에둘러 말하며 직접적인 대답을 회피했습니다. 유선 씨는 선생님의 답변에 서운했지만 6개월 후면 저절로 알게 될 거라고, 궁금함이 클수록 아이를 만났을 때의 기쁨이 더욱 커질 거라고 스스로를 다독이며 집으로 돌아왔습니다.

얼마 후, 남매를 둔 친언니를 만나 전날의 아쉬운 마음을 표현했는데요. 이게 웬일인가요? 언니는 첫째아이와 둘째아이를 낳을 때 모두, 성별을 미리 알고 그에 맞춰 출산준비를 했다고 말을 합니다. 알고 보니, 다른 산모들도 초음파 진료 시 성별을 확인했다고 하는데, 도대체 어떤 경우가 맞는 것인가요?

Advice : 임신 32주 이전에는 고지를 금지합니다.

해설

태아 성별 감별 금지 규정

구 의료법 제19조의2*에서는 『① 의료인은 태아의 성 감별을 목적으로 임부를 진찰 또는 검사하여서는 아니되며, 같은 목적을 위한 다른 사람의 행위를 도와주어서는 아니된다. ② 의료인은 태아 또는 임부

* 구 의료법 제19조의2 제2항(1987.11.28. 법률 제3948호로 개정되고, 2007.4.11. 법률 제8366호로 전부 개정되기 전의 것)

에 대한 진찰이나 검사를 통하여 알게 된 태아의 성별을 임부 본인, 그 가족 기타 다른 사람이 알 수 있도록 하여서는 아니된다』고 규정하며 태아의 성별을 고지하는 것을 전면 금지하고 있었습니다.

이렇게 태아의 성별 감별 및 고지를 전면 금지한 데는 이유가 있습니다. 원래 태아의 성별 감별은 태아에 대한 유전성 질병이나 기형 등을 확인하기 위한 것인데, 우리나라의 경우 남아선호 사상과 결부되어 성별 감별이 여아의 낙태 도구로 이용되어왔기 때문입니다. 위 규정에 따라 성별 감별 및 고지를 금지함으로써 우리나라는 여아에 대한 낙태를 방지하여 태아의 생명권을 보호하고, 성비 불균형을 어느 정도 해소해왔습니다.

구 의료법 제19조의2 제2항에 대한 헌법불합치 결정

구 의료법 제19조의2 제2항에서 태아의 성별을 고지하는 것을 예외 없이 전면 금지해 부모는 출산 시까지 태아의 성별을 전혀 알 수 없었습니다. 그러나 부모는 헌법 제10조(『모든 국민은 인간으로서의 존엄과 가치를 가지며 행복을 추구할 권리를 가진다』)의 인간의 존엄성과 행복추구권에서 파생되는 자유권으로 자신의 가족 구성원이 될 태아의 성별 정보에 대하여 미리 접근하고, 그에 따라 국가로부터 방해받지 않고 자유롭게 자신의 삶을 형성, 유지할 자유가 있는 바, 구 의료법

제19조의2 제2항의 위헌 여부가 헌법재판소의 심판대상에 올라오게 되었습니다.

이에 대해 헌법재판소는『이 사건 규정은 성별을 이유로 한 낙태를 방지함으로써 성비의 불균형을 해소하고 태아의 생명권을 보호하기 위한 것으로 입법 목적의 정당성, 수단의 적합성은 인정되나, 임신기간이 통상 40주라고 할 때, 낙태가 비교적 자유롭게 행해질 수 있는 시기가 있는 반면, 낙태를 할 경우 태아는 물론, 산모의 생명이나 건강에 중대한 위험을 초래하여 낙태가 거의 불가능하게 되는 시기도 있는데 이 사건 규정이 낙태가 사실상 불가능하게 되는 시기의 전 기간에 결쳐 이루어질 것이라는 전제하에, 이 사건 규정이 낙태가 사실상 불가능하게 되는 시기에 이르러서도 태아에 대한 성별 정보를 태아의 부모에게 알려주지 못하게 하는 것은 의료인과 태아의 부모에 대한 지나친 기본권 제한으로서 피해의 최소성 원칙 위반이고, 임신후반기 공익에 대한 보호의 필요성이 거의 제기되지 않는 낙태 불가능 시기 이후에도 임부나 그 가족의 태아 성별 정보에 대한 접근을 방해하는 것은 기본권 제한의 법익 균형성 요건도 갖추지 못한 것이다』라고 하며 헌법불합치 결정을 내렸던 것입니다[2008. 7. 31. 2004헌마1010, 2005헌바90(병합) 전원재판부. 의료법 제19조의2 제2항 위헌확인 등].

현행 의료법 제20조 제2항

헌법재판소의 헌법불합치 결정에 따라 구 의료법 제19조의2 제2항은 개정되었고, 현행 의료법 제20조 제2항은 『의료인은 임신 32주 이전에 태아나 임부를 진찰하거나 검사하면서 알게 된 태아의 성(性)을 임부, 임부의 가족, 그 밖의 다른 사람이 알게 하여서는 아니된다』고 규정함으로써 기존 전면적 고지 금지에서 임신 32주 이전에 고지를 금지하는 것으로 개정되었습니다.

따라서 위 사례에서 의사는 임신 4주차였던 유선 씨에게 태아의 성별을 가르쳐주지 않았던 것입니다. 일반적으로 임신 3~4개월 정도 되면 초음파 검사 등을 통해 태아의 성별을 알 수 있는 경우가 많으나 태아의 생명권 보호, 성비불균형 해소라는 공익적 목적을 위해 의사가 태아의 성별을 확인하더라도 임신 32주(8개월) 이전까지는 태아의 성별을 고지할 수는 없습니다. 다만, 유선 씨가 의사와 함께 초음파 검사 시 화상을 보고 직접 판단할 수는 있을 것입니다. 대다수의 임산부들이 임신 초기에 이런 방법을 통해 태아의 성별을 확인하기도 합니다.

의료법

제20조(태아 성 감별행위 등 금지) ① 의료인은 태아 성 감별을 목적으로 임부를 진찰

하거나 검사하여서는 아니되며, 같은 목적을 위한 다른 사람의 행위를 도와서도 아니된다.

② 의료인은 임신 32주 이전에 태아나 임부를 진찰하거나 검사하면서 알게 된 태아의 성(性)을 임부, 임부의 가족, 그 밖의 다른 사람이 알게 하여서는 아니된다.

CASE 02

뱃속의 아이도 어엿한 생명인데, 혼잡통행료 내야 할까요?

STORY

오늘은 종구 씨와 민정 씨의 결혼기념일입니다. 신혼이라 매년 특별한 날이었지만, 올해는 더욱 기념할 만한 시간을 갖고 싶었습니다. 왜냐하면 이제 곧 태어날 종구 씨의 아이가 민정 씨 뱃속에 있었기 때문이지요. 그래서 종구 씨는 강남에 있는 유명 셰프의 레스토랑을 예약했습니다. 그리고 업무를 마치자마자, 자가용으로 민정 씨를 픽업한 후 종로에서 강남에 위치한 레스토랑을 가기 위해 평소 잘 다니지 않던 남산 1호터널을 이용했습니다.

그런데 종구 씨는 혼잡통행료를 요구하는 터널 징수원과 실랑이를 하게 되었는데요. 그 이유는 평소 자신이 알고 있던 법률 상식과 달랐기 때문이었습니다.

1) 종구 씨는 도심의 혼잡을 막기 위해 징수되는 혼잡통행료는 반대로 도심에서 빠져나가는 경우에는 내지 않아도 될 것이라고 생각했는데, 정말 내야 하는 걸까요?

2) 설령 도심에서 빠져나가는 차량도 혼잡통행료를 낸다 하더라도, 민정 씨 뱃속의 아이도 어엿한 생명이니까 탑승인원이 3인 이상에 해당되어, 요금을 안 내도 되는 것 아닌가요?

Advice : 1) 도심에서 빠져나가는 경우에도 혼잡통행료는 내야 합니다.
2) 태아는 면제대상 인원수에 산입되지 않습니다.

해설

혼잡통행료 부과대상

혼잡통행료란 교통혼잡을 완화하기 위해 교통혼잡이 심한 도로나 지역을 통행하는 차량이용자에게 통행수단 및 통행경로 · 시간 등의

뱃속의 아이도 어엿한 생명이니까
탑승인원이 3인 이상에 해당되어,
요금을 안 내도 되는 것 아닌가요?

변경을 유도하기 위해 부과하는 경제적 부담으로, 도시교통정비 촉진법에서 그 근거를 찾을 수 있습니다(도시교통정비 촉진법 제2조 제8호). 즉 혼잡통행료는 도심에 진입하는 승용차를 줄여 도심교통의 혼잡을 방지하고 소통을 원활하게 하려는 목적에서 도입한 것입니다.

그런데 종구 씨와 같이 도심에서 빠져나가는 경우, "도심교통의 혼잡을 유발하는 것이 아니므로 혼잡통행료를 내지 않아도 되는 것 아닌가" 하는 의문이 들 수도 있습니다. 그러나 도시교통정비 촉진법 제35조에서는 '일정 시간대에 혼잡통행료 부과지역으로 들어가는 자동차'에 대해 혼잡통행료를 부과 · 징수할 수 있도록 규정해 도심 진입만을 규제하는 것이 아니라 혼잡지역에 진입하는 것 자체를 규제대상으로 삼고 있으며, 서울특별시 혼잡통행료 징수 조례에서는 혼잡통행료 부과지역을 도심으로 규정하고 있지 아니하고 '남산 1호 터널, 남산 3호 터널'로 규정하고 있는 바, 종구 씨가 혼잡통행료 부과지역인 남산 1호 터널을 통과한다면 강남에서 종로로 가는 경우는 물론, 반대로 종로에서 강남으로 가는 경우에도 혼잡통행료를 내야만 하는 것입니다.

태아의 혼잡통행료 면제 인원수 포함 여부

요즘은 출산장려를 위해 임신한 경우, 국가에서 특별한 혜택을 주고 있습니다. 지하철, 버스 등에 임산부석을 마련해 임산부를 배려하기도 하고, 산부인과 진료비를 보조해주기도 합니다. 음식점에서는 임산부에게 2인 좌석으로 편하게 음식을 먹을 수 있게 해주는 곳도 있습니다. 종구 씨는 대학교 때 생활법률 강의에서 "태아도 권리능력이 인정된다"는 말을 들었던 것이 기억이 나 위와 같이 징수원과 실랑이를 했던 것입니다.

태아가 혼잡통행료와 관련해 권리능력이 인정되면 종구 씨가 운전하는 승용차는 3인이 탑승한 차량이 되어 혼잡통행료를 면제받을 수 있는 것이고, 권리능력이 인정되지 아니한다면 2인이 탑승한 차량이 되어 혼잡통행료를 내야만 하는 것입니다. 우리 민법은 『사람은 생존한 동안 권리와 의무의 주체가 된다』(민법 제3조)고 규정하고 있어, 이는 태아를 사람으로 보느냐에 관계된 문제라 할 수 있습니다. 태아는 출산(모체와 전부 분리) 전에는 사람으로 인정되지 아니하여 권리능력이 없으나 예외적으로 불법행위에 기한 손해배상청구권(민법 제762조), 상속(제1000조 제3항), 대습상속(제1001조), 유류분(제1118조), 유증(제1064조)의 경우에는 태아도 이미 출생한 것으로 보아 권리능력을 인정하고 있습니다.

위 사례의 경우는 우리 법제에서 예외적으로 태아의 권리능력을 인정하고 있는 것에 해당하지 아니합니다. 즉 혼잡통행료와 관련해서는 뱃속에 있는 태아는 사람으로 인정되지 아니하므로 혼잡통행료 면제 인원에 산입할 수 없는 것입니다. 따라서 종구 씨가 운전하는 승용차는 2인이 탑승한 승용차이고 혼잡통행료 부과지역인 남산 1호 터널을 통과한 것이므로 혼잡통행료를 내야만 합니다.

도시교통정비 촉진법

제35조(혼잡통행료의 부과 · 징수 등) ① 시장은 통행속도 또는 교차로 지체시간 등을 고려하여 대통령령으로 정하는 바에 따라 혼잡통행료 부과지역을 지정하고, 일정 시간대에 혼잡통행료 부과지역으로 들어가는 자동차에 대하여 혼잡통행료를 부과 · 징수할 수 있다.

② 제1항과 제2항에 따른 혼잡통행료의 기본적인 부과기준과 부과방법 등은 국토교통부령으로 정하고, 혼잡통행료의 부과시간대, 부과대상 자동차의 종류 · 용도, 지정의 해제기준 등 시행상 필요한 사항은 조례로 정한다.

서울특별시 혼잡통행료 징수 조례(서울특별시 조례 제6016호)

- 혼잡통행료 부과지역 : 남산 1호 터널, 남산 3호 터널
- 혼잡통행료 부과시간대 : 07:00~21:00시. 다만 토요일과 일요일, 공휴일은 부과하지 아니함(제4조).
- 혼잡통행료 부과대상 자동차의 종류 : 운전자를 포함하여 2명 이하가 탑승한 승용차자동차, 10인승 이하 승합자동차(제5조)
- 혼잡통행료 징수금액은 2,000원으로 한다(제7조).

정부에서 출산장려책으로 펼치고 있는 다둥이 혜택(공용주차장 주차요금 할인 등)과 관련하여서도 태아는 사람으로 인정되지 아니하여 엄마 뱃속에 있는 상태에서는 다둥이 혜택이 인정되지 아니하고 출생 이후부터만 인정됩니다.

CASE 03

뱃속의 아이에게도 유산을 물려줄 수 있을까요?

STORY

진태 씨의 아내 정아 씨는 이제 임신 5개월째 접어들었습니다. 보통 초기 2~3개월만 넘기면 안정기라고 하는데도 진태 씨와 정아 씨는 아직까지 각별히 조심하고 있습니다. 늦은 결혼으로 인해 오랫동안 난임으로 고생하다 어렵게 임신에 성공했기 때문입니다.

그래서 진태 씨의 아버지는 오랜 기다림 끝에 얻은 손주가 더없이 귀합니다. 오매불망 손주가 태어나는 날만 기다리며 그 낙으로 하루하루 살아가고 있을 정도입니다.

그러던 어느 날, 갑자기 진태 씨의 아버지가 심한 폐렴에 걸렸는데, 치명적인 합병증으로 이어져 위독한 상황에 놓였습니다.

진태 씨 아버지는 어쩌면 손주가 태어나는 것조차 보지 못할 것을 우려하여, 곧 태어날 손주를 위해 자신의 전 재산을 유언으로 증여하려고 합니다.

아직 태어나지 않은 태아에게도 유산 증여가 가능할까요?

Advice : 태아에게도 유산을 증여할 수 있습니다.

해설

태아의 유산 증여

사람은 생존한 동안 권리와 의무의 주체가 되는데(민법 제3조), 태아는 출산(모체와 전부 분리) 전에는 사람으로 인정이 되지 아니하여 권리, 의무의 주체가 될 수 없는 것이 원칙입니다. 그러나 우리 민법은 예외적으로 불법행위에 기한 손해배상청구권(민법 제762조), 상속(제1000조 제3항), 대습상속(제1001조), 유류분(제1118조), 유증(제1064조)의 경우에는 태아도 이미 출생한 것으로 보아 권리능력을 인정하여 보호하고 있습니다. 즉 민법 제1000조 제3항은 『태아는 상속순위에 관하여는 이미 출생한 것으로 본다』고 규정하고 있으며, 위 규정을 수증자의 경우에도 준용(민법 제1064조)하여, 태아도 수증자가 될 수 있도록 규정하고 있습니다.

따라서 진태 씨의 아버지는 아직 진태 씨의 아기가 태어나지 않았다 하더라도 아기에게 유증을 할 수 있는 것입니다. 그러나 이때에도 태아가 살아서 태어나야만 유증의 효력이 온전히 발생하는 것이고, 사산하게 되면 유증은 없었던 것으로 됩니다.

우리나라는 유언을 '자필증서에 의한 유언', '녹음에 의한 유언', '공정증서에 의한 유언', '비밀증서에 의한 유언', '구수증서에 의한 유언'의 다섯 가지 형태만 인정하고 있고, 각 경우 필요한 형식과 요건을 엄격하게 규정하고 있는 바(민법 제1065조~제1072조), 유증을 하려면 법률전문가의 도움을 받는 것이 좋습니다.

CASE 04

내집마련보다 먼저 찾아온 뱃속의 아이, 포기할 수 있을까요?

STORY

결혼한 지 3개월 된 희준 씨와 유숙 씨 부부. 전세도 버거워 월세로 신혼집을 장만했지만 그리 우울하지만은 않습니다. 앞으로 2~3년간 한눈팔지 말고 열심히 맞벌이해서 조만간 꼭 내 집을 장만하자고 약속했기 때문입니다. 그러려면 한동안 아이 갖는 건 미뤄야 한다는 걸 두 사람 모두 잘 알고 있습니다.

그런데 갑자기 유숙 씨가 뜻하지 않은 임신을 하게 되었습니다. 유숙 씨는 고민 끝에 희준 씨에게 아이를 포기하고 싶다고 말했습니다. 뱃속의 아이에겐 정말 미안하지만, 아이를 낳게 되면 지금보다 생활비도 2~3배 이상이 들고, 또 임신한 채로 직장을 다닌다는 게 쉽지 않다는 것을 알기 때문입니다. 외벌이로는 결혼 초에 세웠던 내집마련의 꿈이 수포로 돌아갈 게 뻔합니다.

유숙 씨 이야기를 들은 희준 씨는 이래저래 고민이 커졌습니다. 부부는 결국 경제적 이유로 낙태를 하겠다고 결정을 내렸습니다. 양심상의 문제는 차치하고, 법적으로는 문제가 없을까요?

Advice : 경제적 이유의 낙태는 금지됩니다.

해설

낙태의 처벌

여성은 임신을 할지 말지, 임신한 경우에는 임신을 유지할지 말지 자유롭게 결정할 자유(성적 자기결정권)가 있습니다. 이러한 성적 자기결정권은 헌법 제10조의 인간의 존엄과 가치와 행복추구권에서 도출되는 권리라 할 것입니다. 여성의 성적 자기결정권을 보장한다면 낙태는 여성의 성적 자기결정권에 따른 것으로 처벌할 수 없을 것입니다. 그러나 성적 자기결정권도 무제한적인 자유권이 아니고, 국가안전보장 · 질서유지 또는 공공복리를 위해 필요한 경우 법률로써 제한할 수 있는 것입니다(헌법 제37조 제2항). 그리하여 우리 형법은 태아의 생명보호, 성별불균형 해소 등의 공공복리를 위해 『부녀가 약물 기타 방법으로 낙태한 때에는 1년 이하의 징역 또는 200만 원 이하의 벌금에 처한다』(형법 제269조)고 낙태죄를 범죄로 규정해 처벌하고 있는 것입니다.*

낙태가 허용되는 경우

헌법 제37조 제2항 후단에서는 국민의 자유와 권리를 법률로써 제한하는 경우에도 자유와 권리의 본질적인 내용을 침해할 수 없다고 규정하고 있는 바, 어떠한 경우에도 낙태를 할 수 없도록 전면적으로 금지한다면 그것은 여성의 성적 자기결정권에 대한 지나친 제한이 될 수 있기에 모자보건법에서는 모성 또는 태아의 생명과 건강을 위해 임신 24주일 이내 아래와 같은 경우에 한해 예외적으로 낙태를 허용하고, 그 경우에는 낙태죄로 처벌하지 아니하고 있는 것입니다(모자보건법 제14조, 제28조).

* 독일은 임신 12주 이내에는 낙태를 허용하고 있으며, 미국에서는 로우 대 웨이드(Roe v. Wade) 사건에 따라 임신 첫 3개월간은 태아의 독자적 생존 가능성이 적어 여성의 낙태권을 우선하고, 임신 중기 3개월간(4개월~6개월)은 산모의 생명이나 건강을 해치는 경우 등 일정한 경우에 낙태를 허용하고, 임신 후기 3개월간(7개월~9개월)은 태아의 생명권을 보호해 낙태를 금하고 있습니다.

경제적 이유로는 낙태할 수 없음

위 사례에서 희준 씨와 유숙 씨는 모자보건법에서 예외적으로 허용하고 있는 다섯 가지 경우에 해당하지 아니하고, 아직은 경제적으로 아이를 낳아 기를 여건이 되지 않기 때문에 낙태를 하겠다는 것입니다. 그러나 앞서 설명한 바와 같이 우리 법제상 경제적 이유로는 낙태가 허용되지 아니하는 바, 위와 같은 사유로 낙태를 하게 되면 형법상 낙태죄로 처벌받을 수 있습니다.

모자보건법

제14조(인공임신중절수술의 허용한계) ① 의사는 다음 각 호의 어느 하나에 해당되는 경우에만 본인과 배우자(사실상의 혼인관계에 있는 사람을 포함한다. 이하 같다)의 동의를 받아 인공임신중절수술을 할 수 있다.

1. 본인이나 배우자가 대통령령으로 정하는 우생학적(優生學的) 또는 유전학적 정신장애나 신체질환이 있는 경우
2. 본인이나 배우자가 대통령령으로 정하는 전염성 질환이 있는 경우
3. 강간 또는 준강간(準强姦)에 의하여 임신된 경우
4. 법률상 혼인할 수 없는 혈족 또는 인척 간에 임신된 경우
5. 임신의 지속이 보건의학적 이유로 모체의 건강을 심각하게 해치고 있거나 해칠 우려가 있는 경우

② 제1항의 경우에 배우자의 사망 · 실종 · 행방불명, 그 밖에 부득이한 사유로 동의

를 받을 수 없으면 본인의 동의만으로 그 수술을 할 수 있다.

③ 제1항의 경우 본인이나 배우자가 심신장애로 의사표시를 할 수 없을 때에는 그 친권자나 후견인의 동의로, 친권자나 후견인이 없을 때에는 부양의무자의 동의로 각각 그 동의를 갈음할 수 있다.

모자보건법 시행령

제15조(인공임신중절수술의 허용한계) ① 법 제14조에 따른 인공임신중절수술은 임신 24주일 이내인 사람만 할 수 있다.

- 법 제14조 제1항 제1호에 따라 인공임신중절수술을 할 수 있는 우생학적 또는 유전학적 정신장애나 신체질환은 연골무형성증, 낭성섬유증 및 그 밖의 유전성 질환으로서 그 질환이 태아에 미치는 위험성이 높은 질환으로 한다.
- 법 제14조 제1항 제2호에 따라 인공임신중절수술을 할 수 있는 전염성 질환은 풍진, 톡소플라즈마증 및 그 밖에 의학적으로 태아에 미치는 위험성이 높은 전염성 질환으로 한다.

CASE 05

혼인신고를 하지 않은 부부의 아이, 출생신고는 어떻게 해야 할까요?

STORY

세환 씨와 정은 씨는 비록 혼인신고를 하지는 않았지만, 양가 부모님들을 모시고 정식으로 결혼식을 올린 어엿한 부부입니다.

얼마 전, 여느 부부들처럼 세환 씨와 정은 씨 부부에게도 자연스럽게 아이가 태어났습니다. 세환 씨는 회사 일로 항상 바빴고, 양가 부모님들도 멀리 떨어져 계셨기에, 정은 씨는 3주 동안 유명한 산후조리원에서 산후조리를 받은 후, 마침내 아이와 함께 집으로 돌아왔습니다.

아이와 함께 한 집에서 살 수 있게 됐다는 기쁨도 잠시, 세환 씨는 그제야 아이의 출생신고기간(출생 후 1개월 이내 신고)이 얼마 남지 않았다는 걸 깨달았습니다.

그리고 막상 아이의 출생신고를 하려고 보니, 세환 씨와 정은 씨 부부가 혼인신고를 하지 않았던 것이 문제가 되었습니다. 부부는 결혼신고와 출생신고 중 어떤 걸 먼저 해야 할지를 두고 고민했습니다.

1) 일단 세환 씨는 정은 씨와 혼인신고를 하지 않은 상태에서 아이의 출생신고부터 먼저 하기로 결정했습니다. 그렇다면 누가 출생신고를 해야 하나요?

2) 정은 씨는 미처 마음에 드는 아이의 이름을 짓지 못해 출생신고 기간(출생 후 1개월)을 넘겨버렸습니다. 이제 어떻게 되는 걸까요?

Advice : 1) 모(母)가 출생신고를 해야 합니다.
2) 경과일수에 따라 과태료를 물게 됩니다.

해설

사실혼관계에서 태어난 아기의 출생신고

세환 씨와 정은 씨는 결혼식을 하고 동거하는 등 혼인의 의사로 실제 부부공동생활을 하고 있는 상태입니다. 다만, 사정상 혼인신고만 안 하고 있는 것이므로 서로 간에 동거, 부양, 협조, 정조의 의무 등이 발생하는 사실혼관계에 있는 것입니다. 그런데 우리나라는 법률혼 상태에서 태어난 자만 혼인 중의 자로 인정하고 있는 바, 사실혼 중에 태어난 자는 혼인 중의 자가 아니라 혼인 외 출생자가 됩니다. 혼인 외 출생자의 경우 모자관계는 출산으로 자연적으로 발생하나, 부자관계는 부가 인지함으로써 발생하게 됩니다.

그에 따라 가족관계의 등록 등에 관한 법률에서는 출생신고를 출생 후 1개월 이내에 혼인 중 출생자는 부 또는 모가, 혼인 외 출생자는 모가 하도록 규정하고 있는 것입니다(제44조 제1항, 제46조 제1항, 제2항). 따라서 위 사례와 같이 혼인 외 출생자인 경우에는 엄마인 정은 씨가 출생신고를 해야 합니다.

혼인 외 출생자에 대해서는 모가 출생신고를 한 후 부가 인지를 하여 부자관계가 발생하게 되는데, 가족관계의 등록 등에 관한 법률 제57조 제1항에서는 『부가 혼인 외의 자에 대하여 친생자출생의 신고를 한 때에는 그 신고는 인지의 효력이 있다』고 규정해 부의 출생신고를 인지신고로 효력이 있음을 인정해주고 있습니다. 따라서 만약 세환 씨가 정은 씨와 함께 출생신고를 한다면 아기에 대해 인지를 한 것이 되어 부자관계도 그때부터 발생하게 될 것입니다.

혼인신고를 하지 않은 부부의 아이,
출생신고는 어떻게 해야 할까요?

세환 씨와 정은 씨가 계속 혼인신고를 하지 않고 있을 경우

세환 씨의 가족관계증명서상에는 정은 씨가 처로 등재되어 있지 아니하나 아기는 세환 씨의 자로 등재되고, 반대로 정은 씨의 가족관계증명서상에는 세환 씨가 남편으로 등재되어 있지 아니하나 아기는 정은 씨의 자로 등재되어 있는 상태가 되어 아기는 계속 '혼인 외 출생자'가 됩니다. 그러나 세환 씨와 정은 씨가 혼인신고를 하게 되면 민법 제855조 제2항에 따라 그때로부터 혼인 중의 출생자의 지위를 갖게 됩니다.

출생신고기간을 넘긴 경우

사람은 생존하는 동안 권리와 의무의 주체가 됩니다(민법 제3조). 부모가 아기의 출생신고를 하지 않았다 하더라도 아기는 사법상 권리, 의무의 주체가 될 수 있습니다. 즉 출생신고가 안 된 사람도 물건을 구매하고 계약을 할 수 있는 것입니다. 그러나 공법상 법률관계는 출생신고를 통해 형성되는 바, 가족관계의 등록 등에 관한 법률에서는 부 또는 모에게 출생 후 1개월 이내에 출생신고를 하도록 의무를 부여하고, 이를 해태할 경우 5만 원 이하의 과태료를 부과하고 있는 것입니다(제44조, 제122조).

가족관계의 등록 등에 관한 규칙에 [별표3] 과태료 부과기준에 따르면, 지체 일수가 7일 미만일 경우 1만 원, 7일 이상 1월 미만일 경우 2만 원, 1월 이상 3월 미만일 경우 3만 원, 3월 이상 6월 미만일 경우 4만 원, 6월 이상일 경우 5만 원을 부과하도록 되어 있습니다.

따라서 정은 씨가 아기 이름을 정하지 못하여 출생신고기간을 넘겼다면 지체기간에 따라 최대 5만 원의 과태료를 부과받을 수 있습니다. 정은 씨는 부과된 과태료를 납부하고 출생신고를 하면 됩니다.

가족관계의 등록 등에 관한 법률

제44조(출생신고의 기재사항) ① 출생의 신고는 출생 후 1개월 이내에 하여야 한다.

제46조(신고의무자) ① 혼인 중 출생자의 출생의 신고는 부 또는 모가 하여야 한다.

② 혼인 외 출생자의 신고는 모가 하여야 한다.

제122조(과태료) 이 법에 따른 신고의 의무가 있는 사람이 정당한 사유 없이 기간 내에 하여야 할 신고 또는 신청을 하지 아니한 때에는 5만 원 이하의 과태료를 부과한다.

제124조(과태료 부과 · 징수) ① 제121조 및 제122조에 따른 과태료는 대법원규칙으로 정하는 바에 따라 시 · 읍 · 면의 장(제21조 제2항에 해당하는 때에는 출생 · 사망의 신고를 받는 동의 관할 시장 · 구청장을 말한다. 이하 이 조에서 같다)이 부과 · 징수한다. 다만, 재외국민 가족관계등록사무소의 가족관계등록관이 과태료 부과대상이 있음을 안 때에는 신고의무자의 등록기준지 시 · 읍 · 면의 장에게 그 사실을 통지하고, 통지를 받은 시 · 읍 · 면의 장이 과태료를 부과 · 징수한다.

가족관계의 등록 등에 관한 규칙

제50조(과태료의 부과) ① 법 제124조 제1항에 따른 과태료의 부과는 신고 또는 신

청을 수리하거나 이를 최고한 시 · 읍 · 면의 장이 한다. 다만, 가족관계등록관이 과태료 부과대상이 있음을 통지한 경우에는 통지를 받은 시 · 읍· 면의 장이 과태료를 부과한다.

⑤ 시 · 읍 · 면의 장은 [별표 3]의 과태료 부과기준에 의하여 과태료의 금액을 정하여야 한다.

[별표3] 과태료 부과기준

게을리 한 기간	과태료	
	제122조 위반	제121조 위반
7일 미만	10,000원	20,000원
7일 이상 1월 미만	20,000원	40,000원
1월 이상 3월 미만	30,000원	60,000원
3월 이상 6월 미만	40,000원	80,000원
6월 이상	50,000원	100,000원

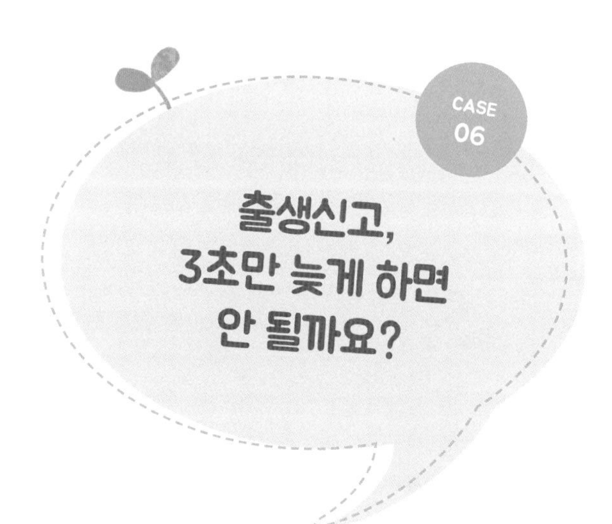

STORY

세상에 거저 엄마 되는 사람 없다지만, 지나 씨의 출산과정은 해도해도 너무 했습니다. 지나 씨는 꼬박 48시간 동안의 진통을 겪었습니다. 그런데도 몸 어딘가에서 출혈이 심해서 고생한 낙도 없이 결국 제왕절개를 하여 딸 은채를 낳았습니다.

그때의 시각은 2014년 12월 31일 23시 59분 58초!

마침내 품에 딸을 안은 지나 씨는 세상을 다 얻은 듯했지만, 그 후로도 뜻하지 못한 문제들이 생겨났습니다.

시어머님이 2014년은 말띠해라면서, 여자가 말띠해에 태어나면 팔자가 드세서 나중에 결혼하기도 힘들다면서 출생 일자를 양띠해로 바꾸라는 것입니다. 딱 3초만 늦게!

지나 씨는 시어머님의 말씀이 미신이라는 건 알고 있지만, 어른 말씀을 무시할 수도 없어서 출생 일자를 변경하려고 하는데요. 가능한가요?

Advice : 출생신고는 사실과 달리 할 수 없습니다.

해설

출생신고 기재사항 및 필요서류

부 또는 모는 출생 후 1개월 이내에 아래 사항이 기재된 출생신고서를 작성해 출생신고를 해야 합니다(가족관계의 등록 등에 관한 법률 제44조, 제46조).

1. 자녀의 성명 · 본 · 성별 및 등록기준지
2. 자녀의 혼인 중 또는 혼인 외의 출생자의 구별
3. 출생의 연월일시 및 장소
4. 부모의 성명 · 본 · 등록기준지 및 주민등록번호(부 또는 모가 외국인인 때에는 그 성명 · 출생연월일 · 국적 및 외국인등록번호)

5.「민법」 제781조 제1항 단서에 따른 협의가 있는 경우 그 사실

6. 자녀가 복수국적자(複數國籍者)인 경우 그 사실 및 취득한 외국 국적

허위 신고를 방지하기 위해 가족관계의 등록 등에 관한 법률 제44조 제4항에서는 출생신고 시 의사나 조산사가 작성한 출생증명서(2016년 11월 30일부터는 분만에 직접 관여한 자가 모의 출산 사실을 증명할 수 있는 자료 등을 첨부해 작성한 출생 사실을 증명하는 서면, 국내 또는 외국의 권한 있는 기관에서 발행한 출생 사실을 증명하는 서면도 가능)를 첨부하도록 하고 있습니다. 만약 출생증명서 등을 첨부할 수 없는 경우에는 가정법원의 출생확인을 받고 그 확인서를 받은 날부터 1개월 이내에 출생의 신고를 하도록 규정하고 있습니다(동법 제44조의2 제1항, 시행일 2016.11.30.).

출생 일자를 허위 신고할 경우

요즘은 집에서 출산하는 경우는 극히 드물고 거의 다 산부인과 병원에서 출산을 하고 있습니다. 그 결과 출생신고 시 필수적으로 첨부할 서류인 출생증명서도 분만에 관여한 의사가 작성해 산모에게 교부하게 됩니다. 따라서 실제와 다른 날짜로 출생신고를 하려면 의사가 출생증명서상 출생 일자를 허위로 기재해주거나 의사가 작성, 교부해준 출생증명서상의 출생 일자를 변경하는 경우에나 가능한 것입

니다.

의사가 부모의 요청을 받고 출생증명서를 실제 출생연월일과 다르게 작성해준다면 의사에게는 출생에 관한 증명서를 허위로 작성한 것이 되어 허위증명서작성죄(형법 제233조)가 성립하기 때문에 그렇게 해줄 가능성은 없다 할 것입니다.

그렇다면 결국은 의사가 작성, 교부하는 출생증명서상의 출생 일자를 임의로 수정해 출생신고하는 경우밖에 없다 할 것인데, 의사가 작성, 교부한 출생증명서의 출생 일자를 임의로 변경하여 출생신고를 한다면 이는 사문서변조죄(형법 제231조) 및 변조사문서행사죄(형법 제234조)가 성립하게 됩니다. 또한 그렇게 변조된 출생증명서를 관공서에 제출해 사실과 다른 출생신고를 한다면 공정증서원본부실기재죄(형법 제228조)가 성립할 수도 있습니다.

형법

제228조(공정증서원본 등의 부실기재) ① 공무원에 대하여 허위신고를 하여 공정증서원본 또는 이와 동일한 전자기록 등 특수매체기록에 부실의 사실을 기재 또는 기록하게 한 자는 5년 이하의 징역 또는 1,000만 원 이하의 벌금에 처한다. 〈개정 1995.12.29.〉

② 공무원에 대하여 허위신고를 하여 면허증, 허가증, 등록증 또는 여권에 부실의 사

실을 기재하게 한 자는 3년 이하의 징역 또는 700만 원 이하의 벌금에 처한다.

제231조(사문서 등의 위조 · 변조) 행사할 목적으로 권리 · 의무 또는 사실증명에 관한 타인의 문서 또는 도화를 위조 또는 변조한 자는 5년 이하의 징역 또는 1,000만 원 이하의 벌금에 처한다.

제233조(허위진단서 등의 작성) 의사, 한의사, 치과의사 또는 조산사가 진단서, 검안서 또는 생사에 관한 증명서를 허위로 작성한 때에는 3년 이하의 징역이나 금고, 7년 이하의 자격정지 또는 3,000만 원 이하의 벌금에 처한다.

제234조(위조사문서 등의 행사) 제231조 내지 제233조의 죄에 의하여 만들어진 문서, 도화 또는 전자기록 등 특수매체기록을 행사한 자는 그 각 죄에 정한 형에 처한다.

CASE 07

불임 원인 없는 부부의 인공수정으로 태어난 아이, 누구의 아이일까요?

STORY

건영 씨와 은진 씨는 결혼한 지 벌써 7년이 넘었습니다. 여전히 다른 사람들이 보면 신혼이라고 할 정도로 금슬이 좋지만, 요즘 부부에게 말 못 할 고민이 생겼습니다. 아이가 생기지 않기 때문입니다. 사실 결혼 초엔 신혼의 달달함을 만끽하고자 일부러 피임을 하기도 했지만, 2년 정도 지난 후부터는 각자 몸 관리를 철저히 하면서 나름 노력했는데, 영 기다리는 소식이 들려오지 않습니다.

고민 끝에 건영 씨와 은진 씨는 불임클리닉에 가보기로 마음먹었습니다. (산모) 나이가 많아지면 임신 확률이 더 떨어진다는 걸 알고 있었기 때문입니다. 떨리는 마음으로 병원에서 필요한 검사를 받은 건영 씨와 은진 씨. 다행인지 불행인지, 의사 선생님께서는 수정에 약간 문제가 있는 것 같다면서 건영 씨의 정자를 추출하여 직접 자궁 속에 수입하는 인공수정을 권유했습니다. 만약 이런 방법으로 인공수정을 하게 된다면, 태어난 아이는 누구의 아이인가요?

Advice : 남편의 자로 추정합니다.

해설

인공수정으로 태어난 아이의 친자 인정 : 정자와 난자가 부부의 것일 경우

육체적 요인, 환경적 요인 등의 이유로 정자의 수가 적거나 활동능력이 저하되어 임신이 되지 아니하는 경우 배란기에 인공적인 기구를 사용하여 정액을 자궁 속에 직접 주입함으로써 정자와 난자를 결합시켜 임신을 하도록 하는 것을 인공수정이라고 합니다. 인공수정에는 남편의 정자로 인공수정한 경우(AIH: Artificial Insemination with Husband's Semen)와 제3자의 정자로 인공수정한 경우(AID: Artificial Insemination with Donor)가 있는데, 위 사례와 같이 남편의 정자로 인공수정을 하는 것은 자연적인 성적결합 대신에 인공적인 기술이 사용되어 수정만 인공적으로 체외에서 이루어진 것일 뿐 남편의 정자, 부인의 난자로 임신이 된 것이므로 통상의 자와 달리 볼 이유가 없습니다. 따라서 혼인 중 남편의 정자로 인공수정하여 태어난 자의 경우 민법 제844조 제1항에 의해 부의 친생자로 추정되는 것인 바, 위 사례에서도 건영 씨의 정자로 인공수정하여 태어난 아기는 건영 씨의 친생자로 추정을 받게 됩니다.

민법

제844조(부의 친생자의 추정) ① 처가 혼인 중에 포태한 자는 부의 자로 추정한다.

② 혼인성립의 날로부터 200일 후 또는 혼인관계 종료의 날로부터 300일 내에 출생한 자는 혼인 중에 포태한 것으로 추정한다.

[헌법불합치, 2013헌마623, 2015.4.30. 1. 민법(1958.2.22. 법률 제471호로 제정된 것) 제844조 제2항 중 "혼인관계종료의 날로부터 300일 내에 출생한 자"에 관한 부분은 헌법에 합치되지 아니한다. 2. 위 법률조항 부분은 입법자가 개정할 때까지 계속 적용된다.]

인공수정이 불가능한 경우에는 정자와 난자를 체외로 채취하여 시험관 내에서 수정시켜 수정된 배아를 자궁 내에 착상하는 방법(체외수정, 시험관아기)을 통해 임신을 하기도 하는데 이러한 경우에도 남편의 정자, 부인의 난자로 체외수정하였다면 위의 경우와 다를 것은 없습니다.

아빠의 정자를 추출하여 직접 자궁 속에
수입하는 인공수정을 하게 된다면,
태어난 아이는 누구의 아이인가요?

CASE 08

남편의 불임으로 제3자의 정자로 인공수정해서 태어난 아이, 누구의 아이일까요?

STORY

제균 씨와 민영 씨는 결혼한 지 이제 5년이 되었습니다. 민영 씨의 꿈은 현모양처! 덕분에 제균 씨는 지난 5년 동안 하루도 빠짐없이 다른 집 남편들은 기대도 못 한다는 아침밥을 먹고 출근하고 있습니다. 이렇듯 민영 씨 꿈의 절반인 양처의 길은 순조로운데, 나머지 절반이 쉽지 않습니다.

결혼하면서부터 민영 씨와 제균 씨는 토끼 같은 자식을 낳기 위해 별별 노력을 다 해보았지만, 왜 그런지 임신이 되지 않았습니다.

어쩌면 부부의 건강에 문제가 있을지도 모른다는 생각에 제균 씨와 민영 씨는 불임클리닉의 문을 두드렸는데요. 맙소사, 남편 제균 씨가 불임이라는 믿을 수 없는 검사 결과를 듣게 되었습니다.

의사 선생님은 좌절하는 부부에게 길이 아주 없지는 않다면서, 제3자의 정자로 인공수정해서 민영 씨의 자궁에 착상하는 방식의 임신을 권하셨는데요. 이럴 경우, 아이는 누구의 자식인가요?

Advice : 남편의 친생자로 추정합니다.

해설

인공수정으로 태어난 아이의 친자 인정 : 제3자의 정자를 사용할 경우

부부 가운데 남편의 정자에 불임의 원인이 있어 이를 이용하여 인공수정을 할 수 없는 경우에는 제3자에게 정자를 제공받아 인공수정을 하여 아이를 가질 수가 있습니다(이를 'AID'라 합니다). AID에 의해 태어난 자의 경우 남편이 동의를 했는지 하지 않았는지에 따라 그 지위가 달라집니다.

남편의 동의하에 제3자의 정자에 의한 인공수정으로 태어난 자는 민법 제844조 제1항에 따라 남편의 자로 친생자 추정을 받게 되고,

남편은 금반언의 원칙*상 자에 대하여 친생부인권을 행사할 수 없다 할 것입니다(서울가정법원 2011.6.22. 선고 2009드합13538 판결, 서울가정법원 2016.9.21. 선고 2015르1490 판결). 만약 남편의 동의 없이 제3자의 정자를 제공받아 임의로 인공수정하여 자를 출산한 경우에는 남편은 친생부인의 소(친생추정을 받는 경우) 또는 친생자관계존부확인의 소(친생추정을 받지 않는 경우)를 제기하여 자신의 자로 인정하지 않을 수 있습니다.

배우자 있는 자가 제3자의 정자를 사용하여 인공수정을 할 경우 그 선행절차로 불임검사, 인공수정과 제3자 정자제공에 대한 동의서 작성 등과 같은 배우자의 협력 및 동의가 반드시 필요하므로 남편 몰래 병원에서 제3자의 정자를 사용하여 인공수정을 통해 자를 임신하는 것은 사실상 불가능하다 할 것입니다.

* 권리자의 권리행사가 그의 종전의 행동과 모순되는 경우에 그러한 권리행사는 허용되지 않는다는 원칙으로 민법 제2조 신의성실의 원칙에서 도출됩니다.

CASE 09

착상이 안 되는 아내 때문에 대리모로 태어난 아이, 누구의 아이일까요?

STORY

영훈 씨와 연주 씨는 5년차 부부입니다. 결혼기념일을 맞아 영훈 씨와 연주 씨는 근사한 패밀리 레스토랑에서 저녁식사를 했습니다.

그런데 옆 테이블의 한 여자아이가 아이스크림을 손에 들고 뛰어오다가 그만 연주 씨 쪽으로 넘어지는 바람에 원피스가 엉망이 되었습니다. 연주 씨는 딸에게 야단을 치며 미안해하는 아이 엄마에게 괜찮다고는 했지만, 갑자기 눈물이 속절없이 흘러내립니다.

말썽쟁이라도 저런 딸이 있었으면….

사실 지난 5년 동안 연주 씨는 몇 번이나 유산의 아픔을 겪어야 했습니다. 자궁 이상으로 출산 때까지 임신을 유지할 수 없기 때문입니다. 너무 마음 아파하는 연주 씨를 보면서 영훈 씨는 고민 끝에 인공수정을 하기로 마음먹었습니다.

의사는 영훈 씨와 연주 씨 부부의 경우, 영훈 씨의 정자와 연주 씨의 난자를 체외 수정한 후에 제3자의 모체(대리모)에 착상시키는 방법이 있다고 조언하는데요. 그렇다면, 이렇게 태어난 아이는 누구의 자식인가요?

Advice : 견해가 대립됩니다.

해설

인공수정으로 태어난 아이의 친자 인정 : 제3자의 모체를 이용한 경우(대리모 계약)

신체, 질병 등의 이유로 모체가 임신을 유지할 수 없는 경우 타인의 몸을 대신 빌려 출산하는 방법(대리모)*이 있습니다. 대리모 계약에

* 대리모의 유형으로는 ① 유전적 대리모[대리모의 난자를 대리모의 남편이 아닌 남자의 정자와 수정시키기 위해 정자를 성관계가 아닌 다른 방법을 이용해 여성의 자궁 깊숙이 직접 주입시켜 수정이 쉽게 일어나도록 유도하는 인공수정(Artificial Insemination: AI)의 방법을 이용하여 대리모를 임신케 하는 방법], ② 출산 대리모[의뢰 부의 정자와 의뢰 모의 난자를 모두 채취하여 체외에서 수정시킨 뒤, 수정이 일어난 수정란이나 배아를 대리모의 자궁에 이식하는 체외수정(In Vitro Fertilization: IVF)의 방법을 통해 대리모를 임신케 하는 방법]가 있습니다. 위 사례는

의한 모체 제공은 1회 제공으로 끝나는 정자의 경우와 달리 임신기간 동안 지속적으로 이루어지므로 난자를 제공한 사람이 엄마인지, 임신을 유지하고 아기를 출산한 사람이 엄마인지가 문제가 됩니다.

우리나라 학설은 일반적으로 이러한 대리모 계약은 선량한 풍속 및 기타 사회질서에 반하는 행위로서 무효로 보고 있습니다. 대리모 계약을 무효라고 본다면 대리모가 아기를 낳은 경우 분만이라는 사실에 기해 대리모와 아기 사이에 모자관계가 성립하는 것이고, 정자와 난자를 제공한 부부(의뢰부부)와 아기는 혈연관계가 성립하지 않는 것이 됩니다.* 그러나 개인적 견해로는 우리 민법이 양자제도를 인정하고 있는 점, 의뢰부부와 대리모의 의사, 자의 복리 등을 고려해볼 때 친자관계는 의뢰부부와 자 사이에서 발생하는 것이라 보는 것이 타당해 보입니다.**

출산 대리모의 경우입니다.

* 의뢰 부와 대리모 사이에는 혼인관계가 없어 친생자 추정이 되지 아니할 것이고, 다만 인지에 의해 부자관계가 발생할 수 있습니다.

** 윤우일 "대리모 계약에 기해 출생한 자의 친자관계 결정기준" 《경희법학》 제47권 제3호, 2012.

CASE 10

출산 전, 산후조리원 계약을 해제해도 계약금을 돌려받을 수 있을까요?

STORY

허니문 베이비를 갖게 된 정욱 씨와 지혜 씨 부부. 결혼 축복의 선물로 임신을 해서 기뻐하고 사람들의 축하를 받은 일이 엊그제 같은데 벌써 출산일이 다가오고 있었습니다.

지혜 씨는 뱃속의 아이에게 최대한 신경을 쓰며 음식도 가려 먹고 틈틈이 태교도 하는 등 노력했지만 회사 일에 쫓기다 보니 출산준비를 제대로 하지 못했습니다. 특히 그 중에서도 당장 눈앞에 닥친 산후조리를 어찌해야 할지 몰랐습니다.

친정어머니와 시어머니 모두 산후조리를 해주실 만한 형편이 못 되어서, 정욱 씨와 지혜 씨는 집 주변의 산후조리원을 알아보기로 했습니다.

퇴근 후, 지혜 씨는 정욱 씨를 만나 평소 광고에서 본 유명한 A산후조리원부터 둘러보고, 그 외 몇 곳을 더 둘러보았습니다. 꼼꼼히 한참을 둘러봤지만 딱히 더 마음에 드는 곳이 없던 지혜 씨는 광고도 하고 유명한 A산후조리원의 명성을 믿고 계약과 동시에 계약금 30만 원을 지불했습니다.

그런데 막상 계약을 하고 나니, 지혜 씨 귀에 A산후조리원이 광고와는 달리 서비스가 크게 좋지 않다는 소문이 들려왔습니다. 오히려 B산후조리원이 가격 대비 서비스도 좋은 것으로 입소문이 나서 실제 산모들 사이에서 인기라는 것입니다.

첫 출산인 만큼 최고의 산후조리를 받고 싶은 마음에 지혜 씨는 A산후조리원 계약을 해제하려고 했습니다. 하지만 A산후조리원에서는 계약금은 돌려줄 수 없다고 합니다. 정말 계약금 30만 원은 돌려받을 수 없는 건가요?

Advice : 원칙적으로 환불할 수 없습니다.

해설

계약금은 해약금으로 추정

지혜 씨는 A산후조리원과 이용계약*을 체결하면서 계약금으로 30만 원을 지급했는데, 이러한 계약금은 일반적으로 당사자 간에 다른 약정이 없는 한 당사자의 일방이 이행에 착수할 때까지 교부자는 이를 포기하고 수령자는 그 배액을 상환해 계약을 해제할 수 있는 해약금으로 추정합니다(민법 제565조 제1항). 따라서 특별히 환불에 관해 당사자 간에 약정이 없고, 단순 변심에 의해 산후조리원 이용계약을 해제하려면 원칙적으로 산후조리원에서 이행에 착수할 때까지(출산 전일 것이므로 이행의 착수는 가정하기 어려움) 계약금 30만 원을 포기하고 해제할 수 있을 것입니다.

최근 공정거래위원회에서는 소비자의 권익보호를 위해 산후조리원 표준약관(제10070호)을 제정해 이용자가 입실예정일 31일 이전에

* 산후조리원 이용계약은 향후 병원에서 아기를 출산 후 퇴원할 무렵부터 일정기간 산후조리 서비스를 이용하겠다는 계약으로, 현대 의학의 발달로 출산일의 예측이 과거에 비해 상당히 정확해졌으나 산모 및 태아의 상태, 환경에 따라 출산일이 예정일에서 작게는 며칠, 많게는 몇 주씩 차이가 발생하여 불확정기한부 채권, 채무관계가 발생하게 됩니다.

정말 계약금 30만 원은
돌려받을 수 없는 건가요?

계약을 해제하면 계약금을 전액 환불하도록 하고, 30일 이전에 해지할 경우는 잔여기간에 따라 일정 금액을 돌려주도록 하였는 바, 표준약관을 사용한 경우라면 이에 따라 환불받을 수 있을 것입니다.

산후조리원 표준약관(제10070호) – 〈2013.10.25. 제정〉

제8조 (입실 전 계약의 해제) ① 이용자는 입실 전에 계약을 해제할 수 있다. 이 경우 사업자는 다음 각 호에 따라 계약금을 환급한다.

1. 사업자의 귀책사유로 계약을 해제한 경우 : 계약금 환급 및 계약금의 100% 배상
2. 이용자의 귀책사유로 계약을 해제한 경우
   - 입실 예정일 9일 이전부터 : 계약금 전액 미환급
   - 입실 예정일 10일 이전부터 20일 이전까지 : 계약금의 30% 환급
   - 입실 예정일 21일 이전부터 30일 이전까지 : 계약금의 60% 환급
   - 입실 예정일 31일 이전 또는 계약 후 24시간 이내 : 계약금 전액 환급
3. 계약금이 총 이용금액의 10%를 초과하는 경우에는 초과되는 금액은 전액 환급하고, 그 나머지는 보상기준에서 정한 비율에 따라 환급

CASE 11

산후조리원에서 감기에 걸린 우리 아이, 보상받을 수 있을까요?

STORY

엄청난 고생 끝에 딸을 출산한 윤정 씨. 출산 후 완전히 지칠 대로 지친 윤정 씨는 A산후조리원에서 산후조리를 하게 되어 천만다행이라 생각했습니다. 왜냐하면 A산후조리원은 최신 친환경 시설과 질병 감염방지 클린룸, 숙련된 관리사, 그리고 최상의 친절 서비스로 까다롭다는 강남 엄마들 사이에서 엄청난 인기를 누리고 있기 때문입니다.

꼼짝달싹 못하는 엄마를 대신해 최고의 관리사가 윤정 씨의 아이를 돌봐준다고 생각하니, 비싼 조리 비용이 하나도 아깝지 않을 정도였습니다.

그런데 이게 웬일인가요? 태어난 지 일주일이 안 된 아기가 감기에 걸린 것입니다. 일반적으로 신생아는 뱃속에서 얻은 엄마의 면역력 덕분에 감기에 걸릴 확률이 매우 적기에, 윤정 씨는 상황 파악을 해보았는데요. 관리사 중 한 명이 초기 감기에 걸린 상태에서 아기를 돌본 것이 화근이었습니다. 무엇보다 산모와 아기의 건강과 안전을 고려해 A산후조리원을 택한 윤정 씨. 감기로 고생하는 아기가 안쓰러워 조리원을 상대로 책임을 묻고 싶은데요. 가능할까요?

Advice : 손해배상을 청구할 수 있습니다.

해설

산후조리원 서비스 계약의 내용

산후조리원이란 분만 직후의 임산부나 출생 직후의 영유아에게 급식 · 요양과 그 밖의 일상생활에 필요한 편의를 제공하기 위한 인력과 시설을 갖춘 요양시설을 말합니다(모자보건법 제2조 제10호). 우리나라의 경우 사회가 핵가족으로 변화되면서 1997년경부터 본격적으로 등장하게 되었습니다.* 공정거래위원회의 산후조리원 표준약관

* 위키백과

제5조에 의하면, 산후조리원은 『산모 및 신생아의 관리, 제반 편의시설 및 산모의 건강회복과 관련한 장비의 제공, 신생아 관리 및 원내 프로그램 서비스 제공 등의 산후조리 및 신생아 관리 서비스 등』을 제공하는 것으로 되어 있습니다.

산후조리원의 보호의무

산후조리원은 이용계약에 따라 산모와 신생아에게 산후조리 및 신생아 관리 서비스를 제공하는 의무를 부담할 뿐만 아니라, 산모와 신생아에게 위험 없는 안전하고 편안한 산후조리 및 신생아 관리 서비스를 제공할 신의칙상 인정되는 부수적 주의의무로서 보호의무도 부담합니다.

모자보건법에서는 임신부 및 영유아의 건강 · 위생 관리 및 위해 방지 등을 위하여 산후조리원 운영자에게 간호사 또는 간호조무사 등 일정한 인력과 화재 및 안전사고 예방을 위한 시설을 갖추도록 하고 있으며(제15조), 감염이나 질병을 예방하기 위해 소독 등 필요한 조치를 하도록(제15조의4) 명시적으로 보호의무를 규정하고 있습니다.

보호의무 위반에 따른 책임

산후조리원은 이용계약에 따라 산모와 신생아에게 주된 서비스인 산후조리와 신생아 관리 서비스를 제공해야 할 뿐만 아니라 안전하고 위생적인 신생아 관리를 통해 신생아가 질병에 감염되는 것을 방지할 보호의무도 있는 것입니다.

그런데 위와 같이 관리사가 감기에 걸린 사실을 모르고, 또는 알았음에도 다른 조치 없이 신생아를 관리하도록 방치하여 신생아가 감기에 걸렸다면 이는 신생아가 질병에 걸리지 않도록 보호해야 할 의무를 해태한 것으로 불완전이행으로 인한 채무불이행책임을 부담하게 되고, 산후조리원 측에서 그 채무불이행에 관하여 자신에게 과실이 없었음을 주장 · 입증하지 못하는 한 그 책임을 면할 수 없을 것입니다.

모자보건법

제15조의4(산후조리업자의 준수사항) 산후조리업자는 임산부 및 영유아의 건강 · 위생 관리와 위해(危害) 방지 등을 위하여 다음 각 호에서 정하는 사항을 지켜야 한다.

1. 보건복지부령으로 정하는 바에 따라 건강기록부를 갖추어 임산부와 영유아의 건강 상태를 기록하고 관리할 것
2. 감염이나 질병을 예방하기 위하여 소독 등 필요한 조치를 할 것

3. 임산부나 영유아에게 감염 또는 질병이 의심되거나 발생한 경우 또는 화재 · 누전 등의 안전사고로 인한 인적 피해가 발생한 경우에는 즉시 의료기관으로 이송하는 등 필요한 조치를 할 것

4. 제3호에 따라 이송한 경우 그 이송 사실을 지체 없이 산후조리원의 소재지를 관할하는 보건소장에게 보고할 것

제15조의5(건강진단 등) ① 산후조리업자와 산후조리업에 종사하는 사람은 건강진단 및 예방접종(이하 "건강진단 등"이라 한다)을 받아야 한다. 다만, 다른 법령에 따라 같은 내용의 건강진단 등을 받은 경우에는 이 법에 따른 건강진단 등을 받은 것으로 갈음할 수 있다.

② 산후조리업자는 제1항에 따른 건강진단 등을 받지 아니한 사람과 다른 사람에게 위해를 끼칠 우려가 있는 질병이 있는 사람을 산후조리업에 종사하게 하여서는 아니 된다.

③ 제1항에 따른 산후조리업에 종사하는 사람의 범위, 건강진단 등의 실시방법 및 제2항에 따른 질병의 종류는 각각 대통령령으로 정한다.

제15조의6(감염 예방 등에 관한 교육) ① 산후조리업자는 보건복지부령으로 정하는 바에 따라 보건복지부 장관이 실시하는 감염 예방 등에 관한 교육을 정기적으로 받아야 한다.

② 제15조 제1항에 따라 산후조리업의 신고를 하려는 자는 미리 제1항에 따른 교육을 받아야 한다. 다만, 질병이나 부상으로 입원 중인 경우 등 부득이한 사유로 신고 전에 교육을 받을 수 없는 경우에는 보건복지부령으로 정하는 바에 따라 그 산후조리업을 시작한 후 교육을 받아야 한다.

③ 제1항과 제2항에도 불구하고 감염 예방 등에 관한 교육을 받아야 하는 자 중 산후조리업에 직접 종사하지 아니하거나 둘 이상의 장소에서 산후조리업을 하려는 자는 종사자 중 임산부와 영유아의 건강 관리를 위한 책임자(「의료법」 제2조 제1항에 따른 의료인으로 한정한다)를 지정한 경우 그 책임자에게 해당 교육을 받게 할 수 있다.

앞서 설명한 계약상 책임 외에도 산후조리원은 산후조리업을 함에 있어 피용자인 관리사의 건강 상태를 확인하고, 관리사에게 사전에 질병 감염방지에 대한 교육 등을 해 서비스 이용자에게 손해를 발생시키지 않도록 지휘, 감독을 할 주의의무가 있는 바, 이러한 지휘, 감독의무를 충실하게 하지 못해 신생아가 감기에 걸리게 한 것이므로 민법 제756조의 사용자 책임도 부담할 수 있습니다.

CASE 12

특별 지정한 산후도우미의 도움을 받을 수 없다면, 어떻게 해야 할까요?

STORY

예쁜 공주님을 출산한 선혜 씨는 2주간의 산후조리원 생활을 끝내고 집으로 돌아갈 생각에 설렙니다. 아무리 좋은 산후조리원이라고 해도 집만 한 곳은 없으니까요!

하지만 초보 산모에게 도움의 손길은 한동안 더 필요하기에 선혜 씨는 출산 전에 이미 산후도우미 서비스를 신청해놓았습니다. 집으로 돌아가는 날부터 1개월간, A산후도우미업체로부터 베테랑급 '김친절' 도우미를 이용할 수 있게끔 말입니다.

마침내 집으로 돌아가는 날. 선혜 씨가 산후조리원을 막 나가려는 그때, A산후도우미업체로부터 갑자기 전화가 걸려왔습니다. A업체는 원래 약속했던 '김친절' 산후도우미가 감기에 걸려 다른 도우미로 대체할 수밖에 없는 상황이라고 밝히면서, 설상가상으로 대체 인력도 선혜 씨가 원하는 날의 다음날에야 이용가능하다는 것입니다.

사실 김친절 도우미가 아니면 굳이 A산후도우미업체를 이용할 이유가 없는 선혜 씨. 어떤 구제방법이 있을까요?

Advice : 계약을 해제하고, 손해배상을 청구할 수 있습니다.

해설

특정 산후도우미 이용계약의 법적 성질

산후도우미 이용계약이란 산모의 건강회복과 신생아의 안전한 관리를 위한 인적 용역서비스를 제공하는 계약을 말합니다. 일반적인 산후도우미 이용계약에서는 업체가 보유, 관리하고 있는 산후도우미 중에서 한 명을 배정하는 서비스를 제공하면 되고 그러한 산후도우미는 대체 가능합니다(이렇게 대체성 있는 채권을 불특정물 채권이라 합니다).

그러나 위 사례와 같이 선혜 씨가 산후도우미 명단에서 베테랑급 특정 산후도우미(김친절 아주머니)를 지정하여 이용하기로 한 경우라면, 산후도우미업체에서는 김친절 산후도우미로 하여금 서비스를 제공하도록 해야 하는 것입니다(불특정물 채권이 민법 제375조 제2항에 따라 채권자의 지정에 의해 특정물 채권으로 전환되는 것입니다).

업체에서 베테랑급 산후도우미로 변경하여 제공할 수 있는지 여부

선혜 씨가 지정한 김친절 산후도우미가 감기에 걸려 서비스를 제공하지 못하게 된 경우, 종류채권의 특성상 채무자(업체)가 다른 베테랑급 산후도우미를 배정해 서비스를 제공하더라도 채권자(선혜 씨) 측에게 불이익을 주지 않는다고 할 것이므로 채무불이행이라고 할 수는 없을 것입니다. 그러나 선혜 씨가 김친절 아주머니가 아니었다면 다른 업체의 유능한 아주머니를 이용하려고 한 경우나, 선혜 씨가 업체 측의 변경에 대해 반대의사를 표시한 경우에는 임의로 변경해 서비스를 제공할 수 없습니다. 따라서 선혜 씨는 이용계약을 해제하고 다른 업체를 이용하면 될 것입니다.

손해배상청구

우선 선혜 씨가 지정한 김친절 산후도우미가 감기에 걸려 서비스를 제공하지 못하게 된 경우, 그 책임이 누구에게 있는지가 문제됩니다. 만약 산후도우미업체 측에서 김친절 아주머니의 서비스 제공 일정 등을 무리하게 잡아 김친절 아주머니의 피로가 누적되어 감기에 걸린 것이라면 업체 측에 과실이 있어 채무불이행이 될 것입니다. 그러나 업체 측의 과실이 없이 김친절 아주머니가 개인적 사유로 인해 감기에 걸린 것이라면 앞서 본 바와 같이 선혜 씨의 의사에 반하지 않는 한 업체에서는 베테랑급 다른 산후도우미를 배정해 서비스를 제공하면 될 것입니다.

그렇다 하더라도 선혜 씨는 귀가 직후부터 산후도우미 서비스를 이용하기 위해 예약을 하고 출산 직후 업체 측에 시기를 통보했던 것인데, 업체 측에서 인원 및 일정 관리를 제대로 하지 못하여 약정일부터 선혜 씨에게 산후도우미 서비스를 제공하지 못했는 바, 선혜 씨는 업체 측에 산후도우미 서비스를 1일 이용하지 못한 것에 대하여 손해배상청구를 할 수 있을 것입니다.

CASE 13

사주와 맞지 않은 우리 아이 이름, 바꿀 수 있을까요?

STORY

남훈 씨의 아내 진아 씨는 아이 이름만큼은 아이가 어떻게 자랐으면 좋겠다는 소망을 담아 부모가 직접 예쁜 이름으로 지어주는 것이 더 의미 있다고 생각합니다.

그런데 그런 아내의 바람에도 불구하고, 남훈 씨는 사주를 절대적으로 믿는 부모님을 거역하지 못하고 유명하다는 작명원에서 비싼 비용을 지불하고 아이 이름을 지어 출생신고까지 마쳤습니다.

당연히 아이에게 최고 좋은 이름이라고 믿고 지낸 지 1년. 다음 해 남훈 씨는 신년 운세를 보다가 아이 이름이 사주와 맞지 않는다는 이야기를 듣게 됩니다.

몰랐다면 모를까 아이의 이름이 맞지 않는다는 말을 들은 뒤로 왠지 모르게 찝찝합니다. 쓸데없이 사주 같은 걸 봐서 마음만 불편하게 됐다고 속상해하는 아내를 보면 미안한 마음이 더 듭니다. 그러던 중 그 사실을 알게 된 집안어른들이 한 술 더 떠 하루라도 빨리 아이의 이름을 더 좋은 이름으로 바꾸라고 성화인데요. 남훈 씨는 사주와 맞지 않는다는 이유로 아이 이름을 바꿀 수 있을까요?

Advice : 사주가 맞지 않는다는 이유만으로는 이름을 바꿀 수 없습니다.

해설

개명허가 기준

이름은 개인의 동일성을 확인하는 수단으로 개인을 타인으로부터 식별하는 기능을 가지며, 이를 기반으로 선거 · 병역 · 조세 등과 같은 국민의 공법적 생활관계가 정해집니다. 일반적으로 이름은 자기 자신을 외부에 나타내주는 표징으로 별명, 이명, 예명 등과 같이 개인이 자유로 선택해 사용할 수도 있을 것이나, 가족관계등록부에 등록되어 있던 이름을 바꾸어 새로운 이름을 등록하는 경우, 사람의 동

사주와 맞지 않는다는 이유로
아이 이름을 바꿀 수 있을까요?

일성에 대한 일반의 인식을 해치고 종전의 이름을 기초로 형성된 사회적 평가와 법률관계가 교란되어 일반적으로 법생활의 안정성이 저해될 우려가 있기도 합니다. 과거에는 법적 안정성을 중시하여 개명허가에 엄격하였으나, 최근 개인의 자기결정권을 보장해주는 차원에서 개명허가 기준을 완화하여 다음과 같이 상당한 이유가 있으면 개명을 허가해주고 있습니다.

『개명허가 여부를 결정함에 있어서는 이름이 가지는 사회적 의미와 기능, 개명을 허가할 경우 초래될 수 있는 사회적 혼란과 부작용 등 공공적 측면뿐만 아니라, 개명신청인 본인의 주관적 의사와 개명의 필요성, 개명을 통하여 얻을 수 있는 효과와 편의 등 개인적인 측면까지도 함께 충분히 고려하여 개명을 허가할 만한 상당한 이유가 있다고 인정되고, 범죄를 기도 또는 은폐하거나 법령에 따른 각종 제한을 회피하려는 불순한 의도나 목적이 개입되어 있는 등 개명신청권의 남용으로 볼 수 있는 경우가 아니라면, 원칙적으로 개명을 허가함이 상당하다(대법원 2009.08.13. 자 2009스65 결정).』

판례에 의하면, 『① 큰며느리와 이름과 같다는 사정에 의한 개명신청(대법원 1990.03.02. 자 89스10 결정), ② 이름이 흔하고 개성이 없다거나 시대에 뒤떨어진 느낌을 준다는 사정에 의한 개명신청(대구지방법원 2009.07.13. 자 2009브29 결정), ③ 수개월 전 법원의 허가로 개명을 한 성년자가 새 이름을 사용하면 건강이 악화될 수 있다는 이유 등을 내세워 다시 당초의 이름으로 개명허가 신청을 한 후 수차례 다른 이름으로 변경한 개명신청(서울남부지방법원 2008.02.29. 자 2008호파813 결정), ④ 이름 때문에 병을 앓는다는 이유로 한 개명신청(서울남부지방법원 2007.04.13. 자 2007호파1234 결정)에 대해서는 상당한 이유가 없다고 개명신청을 불허했고, ⑤ 이름 중에 사용된 글자가 통상 사용되는 한자가 아니어서 잘못 읽히거나 컴퓨터 등을 이용한 문서작성에 있어 어려움이 있고 성별(性別)이 착각되는 경우가 적지 않는 등 일상생활에 있어 많은 불편이 있는 경우에는 개명을 허가할 만한 상당한 이유가 있다(대법원 2005.11.16. 자 2005스26 결정)』고 판시한 바 있습니다.

따라서 위 사례와 같이 단지 아기의 이름이 사주와 맞지 않는다는 이유*만으로는 그 자체로도 비과학적이고, 달리 개명을 허가할 상당한 이유가 보이지 아니하므로 개명이 불허될 것으로 보입니다.

* ○○라는 이름이 듣기도 싫은 이름이고, 사주와 맞지 않는다면서 개명 신청한 것과 관련, 신청인이 현재의 이름으로 개명 허가 결정을 받은 적이 있는 점, 신청인의 이름, 나이 및 가족관계 등 여러 가지 사정을 종합하여 볼 때, 개명을 허가할 만한 상당한 이유가 있는 경우에 해당한다 보기 어렵다(부산지방법원 2009.5.8. 자 2009브26 결정)고 판시한 사례가 있습니다.

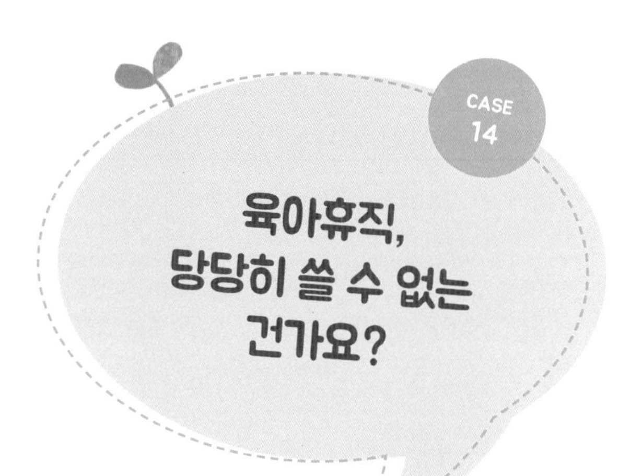

STORY

출산 전까지 커리어 우먼으로서 당당히 직장에서 제 역할을 충실히 해온 미연 씨. 애매한 시기에 결혼과 출산으로 인한 경력 단절을 겪지 않기 위해서 일부러 결혼과 출산을 최대한 미루면서 경력 관리를 해왔습니다.

얼마 전, 계획하에 소중한 아이를 얻은 미연 씨는 출산 휴가 90일을 알차게 활용하고 복직을 하려는데, 아이를 대신 돌봐주기로 약속했던 친정어머니의 건강이 안 좋아졌습니다. 도우미를 써서라도 회사에 복직하고 싶지만, 시부모님은 남의 손에 소중한 아이를 맡기는 건 절대로 안 된다고 말하면서도 정작 본인들은 힘들어서 아이를 봐줄 수 없다고 합니다.

일과 아이 사이에서 고민하던 미연 씨는 최후의 수단으로 1년간의 육아 휴직을 쓰기로 결심하고 회사에 알렸습니다. 그런데 회사에서는 미연 씨를 대신 할 직원을 임시로 채용하기 번거롭다는 이유로 미연 씨에게 사직을 권유합니다. 일을 포기하는 상황을 어떻게든 막으려 지금껏 애써왔던 미연 씨. 어떻게 해야 할까요?

Advice : 육아휴직을 이유로 해고(권고사직)를 할 수는 없습니다.

해설

출산휴가 및 육아휴직 관계법령

근로기준법에서는 임신 중의 여성근로자를 보호하기 위해 임신 중의 여성근로자에 대해서는 사용자가 시간외근로를 시키지 못하고, 근로자의 요구가 있는 경우에는 쉬운 종류의 근로로 전환하도록 하고 있으며(제74조 제5항), 출산 전과 출산 후를 통하여 90일의 출산전후휴가(그 중 최초 60일은 유급휴가)를 주도록 규정하고 있습니다(제74조 제1항, 제4항). 또한 남녀고용평등과 일 · 가정 양립 지원에 관한 법률(이하 "남녀고용평등법")에서는 『사업주는 근로자*가 만 8세 이하 또는 초등학교 2학년 이하의 자녀(입양한 자녀를 포함)를 양육하기 위하여 휴직(육아휴직)을 신청하는 경우 1년 이내에서 이를 허용』하도록 규정하고 있습니다(남녀고용평등법 제19조 제1, 2항).

따라서 미연 씨는 출산전후휴가 90일뿐만 아니라 육아휴직 1년을 추가로 요청할 수 있는 것입니다(출산전후휴가는 임산부인 미연 씨만 가능하나, 육아휴직은 남편도 가능합니다).

만약 육아휴직을 이유로 회사에서 사직을 권유한다면 사실상 이는 육아휴직을 이유로 해고를 한 것과 다름이 없으므로, 사업주가 남녀고용평등법 제37조 제2항 제3호, 제19조 제3항 위반(육아휴직기간 동안 근로자를 해고한 경우)에 해당하여 3년 이하의 징역 또는 2,000만 원 이하의 벌금에 처해질 수 있습니다.

근로기준법

제74조(임산부의 보호) ① 사용자는 임신 중의 여성에게 출산 전과 출산 후를 통하여 90일(한 번에 둘 이상 자녀를 임신한 경우에는 120일)의 출산전후휴가를 주어야 한다.

* **남녀고용평등법 시행령 제10조** 육아휴직을 시작하려는 날(휴직개시예정일)의 전날까지 해당 사업에서 계속 근로한 기간이 1년 미만인 근로자, 같은 영유아에 대하여 배우자가 육아휴직을 하고 있는 근로자의 경우에는 육아휴직을 허용하지 아니할 수 있다.

이 경우 휴가기간의 배정은 출산 후에 45일(한 번에 둘 이상 자녀를 임신한 경우에는 60일) 이상이 되어야 한다.

④ 제1항부터 제3항까지의 규정에 따른 휴가 중 최초 60일(한 번에 둘 이상 자녀를 임신한 경우에는 75일)은 유급으로 한다. 다만, 「남녀고용평등과 일 · 가정 양립 지원에 관한 법률」 제18조에 따라 출산전후휴가급여 등이 지급된 경우에는 그 금액의 한도에서 지급의 책임을 면한다.

⑤ 사용자는 임신 중의 여성 근로자에게 시간외근로를 하게 하여서는 아니되며, 그 근로자의 요구가 있는 경우에는 쉬운 종류의 근로로 전환하여야 한다.

⑥ 사업주는 제1항에 따른 출산전후휴가 종료 후에는 휴가 전과 동일한 업무 또는 동등한 수준의 임금을 지급하는 직무에 복귀시켜야 한다.

⑦ 사용자는 임신 후 12주 이내 또는 36주 이후에 있는 여성 근로자가 1일 2시간의 근로시간 단축을 신청하는 경우 이를 허용하여야 한다. 다만, 1일 근로시간이 8시간 미만인 근로자에 대하여는 1일 근로시간이 6시간이 되도록 근로시간 단축을 허용할 수 있다.

남녀고용평등과 일 · 가정 양립 지원에 관한 법률

제19조(육아휴직) ① 사업주는 근로자가 만 8세 이하 또는 초등학교 2학년 이하의 자녀(입양한 자녀를 포함한다)를 양육하기 위하여 휴직(이하 "육아휴직"이라 한다)을 신청하는 경우에 이를 허용하여야 한다. 다만, 대통령령으로 정하는 경우에는 그러하지 아니하다.

② 육아휴직의 기간은 1년 이내로 한다.

③ 사업주는 육아휴직을 이유로 해고나 그 밖의 불리한 처우를 하여서는 아니되며,

육아휴직기간에는 그 근로자를 해고하지 못한다. 다만, 사업을 계속할 수 없는 경우에는 그러하지 아니하다.

④ 사업주는 육아휴직을 마친 후에는 휴직 전과 같은 업무 또는 같은 수준의 임금을 지급하는 직무에 복귀시켜야 한다. 또한 제2항의 육아휴직기간은 근속기간에 포함한다.

제37조(벌칙) ① 사업주가 제11조를 위반하여 근로자의 정년 · 퇴직 및 해고에서 남녀를 차별하거나 여성 근로자의 혼인, 임신 또는 출산을 퇴직사유로 예정하는 근로계약을 체결하는 경우에는 5년 이하의 징역 또는 3,000만 원 이하의 벌금에 처한다.

② 사업주가 다음 각 호의 어느 하나에 해당하는 위반행위를 한 경우에는 3년 이하의 징역 또는 2,000만 원 이하의 벌금에 처한다.

3. 제19조 제3항을 위반하여 육아휴직을 이유로 해고나 그 밖의 불리한 처우를 하거나, 같은 항 단서의 사유가 없는데도 육아휴직기간 동안 해당 근로자를 해고한 경우

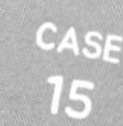

CASE 15

아이 걱정에 집에 설치한 CCTV, 도우미의 동의가 없으면 불법일까요?

STORY

맞벌이 부부인 태헌 씨와 수연 씨는 자신들이 일하는 동안 집으로 도우미를 불러 아이를 돌보게 하고 있습니다. 아직 아이가 너무 어려 어린이집에 보낼 수 없기 때문입니다. 최근 벌어진 불미스러운 사태로 인해 어린이집에 대한 불신이 커진 것도 한 이유입니다. 그런데 수연 씨는 지켜보는 눈이 아무도 없는 집에서 도우미가 아이를 제대로 돌보는지 걱정이 되어 견딜 수가 없습니다.

그래서 수연 씨는 남편 태헌 씨와 의논한 결과, 집 안에 CCTV를 설치해 도우미가 아이를 잘 돌보는지 실시간으로 감시하기로 결정했습니다.

그런데 다른 한편, CCTV를 설치하면 도우미의 사생활 및 초상권을 침해하는 건 아닌가 하는 걱정이 드는데요. 그렇다고 도우미에게 CCTV를 설치하겠다고 말하면 괜히 의심하는 줄로 오해하고 아이에게 해코지를 할까봐 이러지도 저러지도 못하고 있습니다. 만약 도우미의 동의 없이 CCTV를 설치하면, 불법인가요?

Advice : 개인정보보호법 위반이 아니므로 불법이라 할 수 없습니다.

해설

부모의 CCTV 설치의 자유와 도우미 아줌마의 사생활의 자유, 초상권

부모는 아이의 교육, 안전을 위해 적절한 조치를 취하고, 자신의 가정, 즉 사적인 공간에 시설물 등을 자유롭게 설치, 조성할 자유(인격권, 행복추구권)를 가지고 있습니다. 또한 도우미 아줌마도 자신의 동의나 허락 없이 자신의 행동, 초상이 CCTV 등에 찍히지 않을 자유(사생활의 자유, 초상권)가 있습니다. 태헌 씨와 수연 씨가 아기의 안전과 신변 확인을 위해 집에 CCTV를 설치하는 경우, 이러한 양측의 기본권이 충돌되는 것입니다.

만약 도우미의 동의 없이
CCTV를 설치하면, 불법인가요?

CCTV 설치 규제 법률(개인정보보호법)의 내용

개인정보보호법 제25조(영상정보처리기기의 설치 · 운영 제한) 제1항에서는 『누구든지 다음 각 호의 경우를 제외하고는 공개된 장소에 영상정보처리기기를 설치 · 운영하여서는 아니된다. ① 법령에서 구체적으로 허용하고 있는 경우, ② 범죄의 예방 및 수사를 위하여 필요한 경우, ③ 시설안전 및 화재 예방을 위하여 필요한 경우, ④ 교통단속을 위하여 필요한 경우, ⑤ 교통정보의 수집 · 분석 및 제공을 위하여 필요한 경우』라고 규정하고 있습니다. 제2항에서는 『누구든지 불특정 다수가 이용하는 목욕실, 화장실, 발한실(發汗室), 탈의실 등 개인의 사생활을 현저히 침해할 우려가 있는 장소의 내부를 볼 수 있도록 영상정보처리기기를 설치 · 운영하여서는 아니된다. 다만, 교도소, 정신보건 시설 등 법령에 근거하여 사람을 구금하거나 보호하는 시설로서 대통령령으로 정하는 시설에 대하여는 그러하지 아니하다』라고 규정하고 있습니다.

위와 같이 개인정보보호법은 공개된 장소, 불특정 다수가 이용하는 시설에 대해 CCTV를 설치, 운영함으로써 발생하는 개인정보, 사생활의 자유, 인격권 등의 침해를 방지하기 위한 법입니다. 개인의 가정은 공개된 장소가 아니며, 불특정 다수가 이용하는 시설도 아니므로 개인정보보호법의 규제 대상이 아닙니다.

이용계약 체결 전에 도우미 아줌마에게 CCTV 설치, 운영 여부를 고지하고 아줌마로부터 동의를 받으면 아줌마의 사생활의 자유, 초상권 침해 문제는 발생하지 아니할 것입니다.

만약 도우미 아줌마가 CCTV 설치, 운영을 반대, 거부한다면 다른 아줌마와 이용계약을 체결하면 될 것입니다. 그러나 다른 아줌마를 채용하기도 싫다면 아줌마의 동의 없이 녹화된 영상을 유출, 배포하지 않는 것을 전제로 동의 없이 CCTV를 설치, 운영하더라도 특별한 문제는 발생하지 않을 것입니다(근무장소 내 촬영이므로 사생활의 자유 침해 여지는 별로 없을 것이고, 녹화된 영상을 유출, 배포하지 않는 한 초상권 문제도 발생할 여지는 없을 것입니다).

CASE 16

배송 중에 감쪽같이 사라진 분유, 어떻게 해야 할까요?

STORY

직장생활을 하는 수미 씨는 퇴근 후 지친 몸으로 마트에 들러 장을 봐야 할 일이 엄두가 나지 않아 인터넷 쇼핑몰에서 분유를 주문했습니다. 그런데 아이의 남은 분유 양을 계산해서 날짜를 맞춰 주문했는데, 며칠이 지나도록 분유가 배송되지 않았습니다. 더 늦어지면 분유가 똑 떨어질 것 같아 수미 씨는 바쁜 와중에 상품배송 조회를 해보았는데, 글쎄 인터넷 상으로는 이미 배송이 완료된 것으로 처리되어 있었습니다.

분명히 수미 씨는 분유를 받은 적이 없는데, 업체 측에서는 배송이 완료된 것으로 처리되었으니 자신들은 모르는 일이라고 오리발을 내밀고 있습니다.

수미 씨는 분유 판매업체 측에 상품 재배송 요청을 해야 할지, 아니면 이미 배송된 것으로 처리되었으니 수미 씨가 그 손실을 감수해야 하는 것인지 고민하고 있습니다. 이럴 땐 어떻게 해야 하는 건가요?

Advice : 재배송을 요청할 수 있습니다.

해설

배송 중 물건이 사라진 경우(위험부담)

분유 구매계약에 따라 분유 판매업체는 생산한 수많은 분유(종류물) 중 하나를 분리해 소비자에게 인도할 채무를 부담합니다. 이렇게 여러 종류물 중 하나를 인도해야 할 채무를 종류물채무라고 합니다. 위 사례는 종류물의 인도 중 종류물이 사라진 경우로, 누가 그 위험을 부담해야 하는가 하는 문제입니다. 종류물의 경우 채무자가 이행에 필요한 행위를 완료하거나 채권자의 동의를 얻어 이행할 물건을 지정한 때에, 그 물건이 채권의 목적물이 되고(민법 제375조 제2항), 이렇게 특정이 된 이후에는 목적물이 멸실되면 채무자는 급부의무를 면하게 됩니다.

일반적으로 인터넷 물품을 구매할 경우, 구매자의 동의를 얻어 이행할 물건을 지정하는 것이 아니라 판매자가 판매하는 물건 중 하나를 분리해 배송을 하는 것이므로 이러한 행위가 민법 제375조 제2항의 채무자가 이행에 필요한 행위를 완료한 것인지에 따라 위험부담할 당사자가 결정됩니다. 만약 택배회사에 배송을 맡기는 시점에 채무자가 이행에 필요한 행위를 완료한 것이라면 배송 중에 목적물이 사라진 경우에 판매자는 재배송의무가 없습니다. 그러나 우리 민법은 특정물채권 외의 채무의 변제는 다른 약정이나 관행이 있는 경우를 제외하고, 채권자의 현주소에서 하도록 지참채무 원칙을 규정하고 있는 바(민법 제467조 제2항), 업체에서 구매자의 집으로 물건을 발송한 때(택배회사에 배송 요청을 한 때)가 아니라 배송을 완료한 때(구매자의 지배영역에 들어간 때) 이행에 필요한 행위를 완료한 것, 즉 특정이 된 것이 됩니다. 따라서 택배 배송 중에 물건이 사라진 것이라면 아직은 목적물이 특정된 것이 아니므로 업체 측에서 새로운 물건으로 다시 배송해야 할 것입니다.

만약 수미 씨가 집을 비운 사이 분유가 배송되었고 택배 직원에게 아파트 문 앞에 분유를 놔두라고 하였는데, 누군가 분유를 가져가 없어진 경우라면 구매자의 지배영역에 들어간 것으로 분실에 따른 위험은 수미 씨가 부담해야 할 것입니다.

CASE 17

하자 있는 물건을 구입했다면, 새 제품으로 교환받을 수 있을까요?

STORY

승환 씨와 혜라 씨 부부는 오랜 기다림 끝에 귀하게 아이를 얻었습니다. 그래서인지 아내 혜라 씨는 다른 면에서는 알뜰한데, 유독 아이 물건을 사는 데는 돈을 아끼기 않습니다. 아기 기저귀에서부터 시작해서 이유식까지, 혜라 씨는 주부들 사이에서 최고라 평가되는 물건만 사기를 고집합니다.

승환 씨는 그런 아내를 전부 이해하지는 못하지만, 아이를 잘 키워보겠다는 열정으로 여기며 경제적으로 힘들어도 혜라 씨가 하는 일에 아무 말 없이 묵묵히 따라주고 있습니다.

얼마 전, 승환 씨는 이번에도 혜라 씨가 원하는 최고가의 S브랜드 유모차를 눈을 질끈 감고 구입했습니다. 드디어 유모차가 집으로 배달되었고, 승환 씨 부부는 잔뜩 부푼 마음으로 유모차에 아이를 태워 밀어보았는데요. 이상하게도 바퀴 하나가 잘 돌아가지 않았습니다.

혹시 사용 미숙인가 싶어, 사용법까지 숙지하고 다시 해봐도 바퀴는 여전히 굴러가지 않았습니다. 어떻게 해야 할까요?

Advice : 새 제품으로 교체를 요청할 수 있습니다.

해설

파손 또는 하자 있는 상태로 상품이 배송된 경우

구입한 유모차의 바퀴가 파손되거나 제대로 돌아가지 않는 것은 하자(본래 갖추어야 할 성질, 상태를 갖추지 못하고 있는 것)가 있는 것으로, 위와 같이 매매목적물에 하자가 있을 경우 우리 민법은 매도인에게 일정한 책임(하자담보책임)을 물을 수 있도록 규정하고 있습니다(민법 제569조~581조).

즉 파손, 하자로 인해 계약의 목적을 달성할 수 없는 경우(유모차를 정상적으로 사용할 수 없는 경우 등)에는 계약을 해제*할 수 있고, 그 정도까지는 아니라면 업체 측에 손해배상을 청구하거나 하자 없는 완전한 물건의 급부청구**를 할 수 있습니다(민법 제581조). 그런데 이러한 계약해제, 완전물 급부청구는 매수인이 그러한 사실을 안 날로부터 6개월 내에 행사하여야만 합니다(민법 제582조). 만약 하자가 있다는 사실을 알았음에도 어떠한 권리행사도 하지 않고 있다가 6개월이 지난 경우에는 업체 측에 하자담보책임을 물을 수 없게 됩니다.

민법

제575조(제한물권 있는 경우와 매도인의 담보책임) ① 매매의 목적물이 지상권, 지역권, 전세권, 질권 또는 유치권의 목적이 된 경우에 매수인이 이를 알지 못한 때에는 이로 인하여 계약의 목적을 달성할 수 없는 경우에 한하여 매수인은 계약을 해제할 수 있다. 기타의 경우에는 손해배상만을 청구할 수 있다.

제580조(매도인의 하자담보책임) ① 매매의 목적물에 하자가 있는 때에는 제575조 제1항의 규정을 준용한다. 그러나 매수인이 하자 있는 것을 알았거나 과실로 인하여 이를 알지 못한 때에는 그러하지 아니하다.

② 전항의 규정은 경매의 경우에 적용하지 아니한다.

* 유모차의 바퀴가 잘 돌아가지 않는 것은 유모차의 중요부분 하자라 할 것이므로 계약해제가 가능할 것입니다. 단지 바퀴에서 삐걱거리는 소리가 나는 정도라면 계약해제보다는 교체, 수리가 적절할 것입니다.

** 일반적으로 종류물 채권에서는 물건이 특정되었다 하더라도 그 물건의 개성이 중요하지 아니하므로 구매자의 명시적인 반대의사가 없다면 다른 물건으로 교체해 인도하는 것이 인정되고 있습니다.

제581조(종류매매와 매도인의 담보책임) ① 매매의 목적물을 종류로 지정한 경우에도 그 후 특정된 목적물에 하자가 있는 때에는 전조의 규정을 준용한다.

② 전항의 경우에 매수인은 계약의 해제 또는 손해배상의 청구를 하지 아니하고 하자 없는 물건을 청구할 수 있다.

해제, 완전물급부청구 등 법률적 권리는 어떻게 행사해야 할까요?

해제, 완전물급부청구와 같은 법률행위는 구두로 해도 되나, 향후 법적 분쟁이 발생했을 경우 증빙자료가 필요하므로 내용증명과 같은 서면으로 통보하는 형태를 취하는 것이 일반적입니다. 목적물에 하자가 있다는 사실을 증빙할 자료(사진 등), 그러한 사실을 알게 된 시점 등 증거자료를 확보해 상대방에게 내용증명을 보내면 됩니다.

CASE 18

배달과정에서 훼손된 물건, 누구의 책임일까요?

STORY

여섯 살배기 딸을 둔 시완 씨는 사랑스러운 딸 덕분에 하루하루가 행복합니다. 최근 들어 시완 씨의 딸이 자기 전에 꼭 아빠에게 책을 읽어달라고 하기 때문이지요. 아빠 목소리를 들으면 책이 더 재밌고 잠도 잘 온다면서요. 그런 딸이 너무나 사랑스러운 시완 씨는 아이와 함께하는 시간을 만들어주는 유아책에 큰 관심을 갖고 있습니다.

그러다 얼마 전, TV 홈쇼핑에서 전 세계적인 스테디셀러라고 광고하며 판매하는 유아책을 보고는 주저 없이 주문했습니다.

며칠 후, 집에 아무도 없는 사이 집 앞에 책이 배달되어 왔습니다. 시완 씨는 딸에게 읽어줄 책이 도착했다는 기쁜 마음에 퇴근하자마자 집으로 달려와 서둘러 택배 상자를 열어보았는데요. 세상에나! 훼손된 책이 배송되어 왔습니다.

화가 난 시완 씨는 홈쇼핑업체에 연락해 배달된 책이 손상되었다고 항의했습니다. 그러자 홈쇼핑 측은 출고된 책에는 분명히 아무런 하자가 없었다면서, 아무래도 배달과정에서 손상된 것 같으니 택배회사에 배상을 청구하라고 합니다. 난처한 상황에 놓인 시완 씨, 대체 어느 쪽에 책임을 물어야 하는 건가요?

Advice : 홈쇼핑업체(판매자)의 책임이므로 업체에 손해배상을 청구할 수 있습니다.

해설

이행보조자의 과실

택배업체가 부주의하게 물건을 다루어 내용물(책)이 훼손된 것이라면, 이는 판매자인 홈쇼핑업체의 책임입니다. 택배업체는 판매자의 물건배송채무를 대신 이행해주는 '이행보조자'로 우리 민법은 이행보조자의 과실을 '채무자의 과실'로 보기 때문입니다(민법 제391조).

또한 지참채무의 원칙상 시완 씨의 주소에서 현실적으로 채무내용에 따른 목적물을 제공해야만 특정이 되고 위험이 이전되는 것인데, 특정이 되기 전인 운송 중에 택배업체의 과실(채무자의 과실)로 물건이 훼손되었다면 홈쇼핑에서 책이 훼손된 것에 대한 책임을 져야만 하는 것입니다. 따라서 홈쇼핑은 시완 씨에게 하자 없는 완전한 책으로 다시 급부할 의무가 있는 것이며, 택배회사의 부주의에 대해서는 홈쇼핑 측과 택배회사에서 해결한 문제이지 시완 씨가 관여할 부분이 아닌 것입니다.

민법

제391조(이행보조자의 고의, 과실) 채무자의 법정대리인이 채무자를 위하여 이행하거나 채무자가 타인을 사용하여 이행하는 경우에는 법정대리인 또는 피용자의 고의나 과실은 채무자의 고의나 과실로 본다.

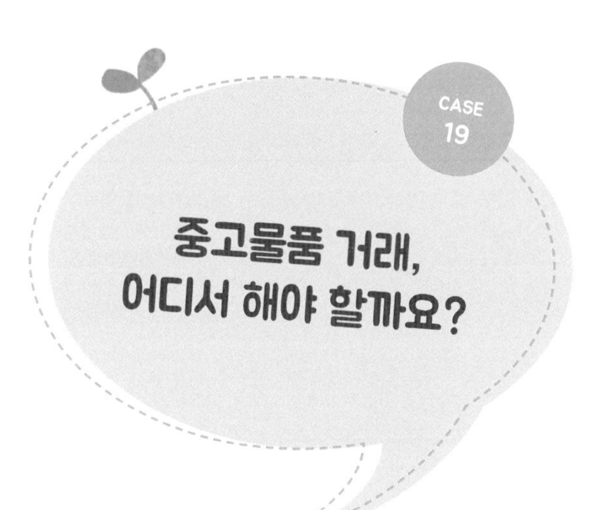

STORY

아이를 최고로 키우고 싶은 예리 씨. 하지만 형편상 원하는 아이 물건을 매번 새로 사는 게 부담스러워 얼마 전부터는 중고품에 관심을 두고 있습니다.

그러다 예리 씨가 평소 사고 싶었던 중고 보행기가 아파트 주민들이 운영하는 인터넷 카페에 올라온 것을 보고, 급하게 예약 문자를 남겼습니다. 재빨리 움직인 덕분에 예리 씨는 판매자로부터 원하던 보행기를 건네받기로 약속했습니다.

그런데 하필 보행기를 인수하기로 한 그날, 예리 씨의 아파트 엘리베이터 정기 점검이 시작되어 저녁때까지 엘리베이터를 사용할 수 없게 되었습니다. 보행기 판매자의 집은 무려 32층. 하지만 판매자 역시 어린 아이를 키우는 엄마였기에 보행기를 집까지 가져다 달라고 할 수는 없었습니다. 게다가 보행기 가격이 일반 중고물품보다 훨씬 저렴한 것을 이유로 예리 씨가 직접 물건을 찾아가기를 원했습니다.

예리 씨가 가격을 흥정한 것도 아닌데 생색을 내는 판매자. 예리 씨는 보행기를 가지러 가야 할까요? 아니면 판매자가 보행기를 보내주어야 할까요?

Advice : 목적물 소재지에서 인도해야 합니다.

해설

중고물건의 인도장소

사적자치의 원칙, 계약자유의 원칙에 따라 매매계약의 이행장소는 원칙적으로 당사자 간의 합의에 따르나, 당사자 간의 합의가 없는 경우에는 민법 제467조에 따라 정해집니다. 즉 ① 매도인, 매수인 간에 이행장소에 관하여 합의가 있다면 그곳에서, ② 합의가 없다면 중고 보행기와 같은 특정물(중고물품은 대체성이 없는 특정된 물건입니다)의 경우에는 채권성립 당시에 그 물건이 있던 장소에서 이행(인도)하여야 합니다(민법 제467조 제1조).

일반적으로 중고거래 시 매도인이 물품을 가져가라고 올리는 경우가 많은데 매수인이 그것을 동의하여 물건을 사겠다고 하는 것은 중고물품 인도장소에 관해 당사자 간에 합의가 있는 것이며, 위 사례의 예리 씨 경우와 같이 매도인이 물품을 어디서 인도할 것인지 언급을 하지 않았다면 민법 제467조에 따라 예리 씨가 매도인의 집으로 가서 물건을 인도받아야 할 것입니다.

민법

제467조(변제의 장소) ① 채무의 성질 또는 당사자의 의사표시로 변제장소를 정하지 아니한 때에는 특정물의 인도는 채권성립 당시에 그 물건이 있던 장소에서 하여야 한다.

② 전항의 경우에 특정물 인도 이외의 채무변제는 채권자의 현주소에서 하여야 한다. 그러나 영업에 관한 채무의 변제는 채권자의 현 영업소에서 하여야 한다.

보행기를 가지러 가야 할까요?
아니면 판매자가 보행기를 보내주어야 할까요?

CASE 20

하자가 있는지 확인하지 않고 산 중고물품, 환불받을 수 없나요?

STORY

얼마 후면 돌을 맞이하는 아들을 둔 윤진 씨. 한창 다리에 힘이 생기는 아들을 위해 윤진 씨는 퇴근길에 중고나라에 올라온 보행기를 샀습니다. 구입한 보행기는 평소 아들이 좋아하는 애니메이션의 주제곡이 들어 있는 것이라서, 윤진 씨는 중간에 가게에 들러 건전지까지 준비했습니다.

깜짝 파티를 할 완벽한 준비를 갖추고 마침내 집에 온 윤진 씨. 아들을 보행기에 앉히고 건전지를 넣은 후, 애니메이션 주제곡이 나오길 잔뜩 기대하며 버튼을 눌렀습니다.

짜잔! 그러나 노래는 물론이고 그 어떤 소리도 나오지 않았습니다. 기대

했던 노래가 나오지 않자 울상이 된 아들 때문에 더 속상해진 윤진 씨는 음악이 나오지 않으면 보행기를 살 이유가 없기에 환불하려고 합니다. 하지만 중고 판매자는 중고제품은 살 때 하자 여부를 확인하고 사야 한다면서 환불해줄 수 없다고 하는데요. 윤진 씨는 환불받을 수 없을까요?

Advice : 환불받을 수 없습니다.

해설

특정물의 인도방법(이행기의 현상대로 인도)

중고보행기는 대체 가능성이 없는 특정물에 해당합니다. 특정물채권의 경우 그 특정물이 멸실, 훼손되면 대체물로 대신 급부할 수가 없기 때문에 민법은 채무자에게 그 물건을 인도할 때까지 선량한 관리자의 주의로 보존하도록 의무를 부과하고(민법 제374조), 선관주의의무를 다하여 물건을 보존한 경우에는 이행기의 현상대로 그 물건을 인도하면 되도록 규정하고 있습니다(민법 제462조). 그에 따라 특정물의 경우, 채무자가 선관주의의무를 다하였음에도 그 목적물이 멸실,

훼손된 경우에는 채무자는 목적물의 인도의무도 면하고, 손해배상의무도 부담하지 않게 됩니다(위험의 이전).

위 사례에서도 특정물(중고물)의 특성상 윤진 씨가 중고보행기를 가지고 갈 때까지 매도인 측에서 선관주의의무를 다하여 보관하고 있었다면 당시 소리가 나오지 않는 것을 확인하지 않은 윤진 씨가 그 위험을 부담하여야 할 것이고, 이를 이유로 계약을 해제할 수는 없을 것입니다.

만약 매도인이 인터넷 카페에 판매글을 게재할 당시 소리 등 작동에 이상이 없음을 확인하는 내용의 글을 올렸다면 이는 소리 등 작동에 이상이 없다는 이행기의 상태를 보증한 것으로 윤진 씨가 인도 당시 소리가 안 나오는 것을 확인하지 않고 집에 가서야 확인하였다 하더라도 목적물의 하자를 이유로 계약을 해제할 수도 있고, 손해배상을 청구할 수도 있을 것입니다(민법 제580조). 이 경우 계약해제에 따른 중고보행기 반환은 민법 제467조 제1조에 따라 매도인이 중고보행기가 있는 윤진 씨 집으로 와서 인도받아 가야 할 것입니다.

CASE 21

약속 기한을 어긴 주문상품, 어떻게 보상받을까요?

STORY

광고 회사에서 기획 업무를 하고 있는 혜정 씨. 눈코 뜰 새 없던 한 달 동안의 경쟁 PT가 마침내 끝이 났습니다. 그제야 집안일과 육아를 돌아보게 된 혜정 씨는 아이의 분유가 떨어진 것을 알게 되었습니다.

다 먹고 살자고 하는 짓인데, 아이 끼니조차 챙기지 못했다는 죄책감에 혼자 울먹이는 혜정 씨. 이를 지켜보던 여자 팀장이 선배 엄마로서의 노하우라며 급팡의 '익일 특급 배송' 서비스를 알려주었습니다.

힘들게 발품을 팔지 않고도 내일까지 분유를 받을 수 있다는 기쁨에 혜정 씨는 망설임 없이 급팡에서 분유를 주문했습니다.

그런데 광고와는 달리, 분유가 다음날까지 배송되지 않아 혜정 씨는 결국 미친 사람처럼 마트로 달려가 분유를 사야만 했습니다. 아이에게 분유를 먹이면서 생각할수록 혜정 씨는 억울했는데요. 혜정 씨는 급팡을 상대로 어떤 대응을 할 수 있는 건가요?

Advice : 손해배상을 청구할 수 있습니다.

해설

기한부채무의 경우

결혼식 날 연주하는 채무와 같이 특정한 날짜에 이행하지 아니하면 의미가 없는 채무를 '기한을 정한 채무'라고 합니다. 혜정 씨는 분유가 내일까지 배송되지 아니하면 아기에게 먹일 분유가 없어 시급한 상황이었습니다. 혜정 씨는 마트에 가서 분유를 살 수도 있었으나, 다음날까지 틀림없이 배송해준다는 광고를 보고 집에서 편히 분유를 배송받기 위해 급팡에서 주문했던 것입니다.

이와 같이 기한을 정한 채무의 경우, 채무자 측에서 기한을 지키지 못하였다면 그 자체로 채무불이행이 되어 채권자는 계약을 해제할 수 있으며, 그로 인해 채권자 측에 손해가 발생하였다면 손해배상을 청구할 수 있습니다.

허위 · 과장광고의 경우

만약 급팡의 익일 특급 배송 문구가 기한부채무를 의미하는 것이 아니라 단순히 다음날까지 배송해주겠다는 '광고'에 불과하다면 허위, 과장광고로 표시 · 광고의 공정화에 관한 법률 제10조, 제3조 제1항 위반에 따른 손해배상책임을 물을 수도 있을 것입니다.

표시 · 광고의 공정화에 관한 법률

제3조(부당한 표시 · 광고 행위의 금지) ① 사업자 등은 소비자를 속이거나 소비자로 하여금 잘못 알게 할 우려가 있는 표시 · 광고 행위로서 공정한 거래질서를 해칠 우려가 있는 다음 각 호의 행위를 하거나 다른 사업자 등으로 하여금 하게 하여서는 아니된다.

1. 거짓 · 과장의 표시 · 광고
2. 기만적인 표시 · 광고
3. 부당하게 비교하는 표시 · 광고
4. 비방적인 표시 · 광고

② 제1항 각 호의 행위의 구체적인 내용은 대통령령으로 정한다.

제10조(손해배상책임) ① 사업자 등은 제3조 제1항을 위반하여 부당한 표시 · 광고 행위를 함으로써 피해를 입은 자가 있는 경우에는 그 피해자에 대하여 손해배상의

책임을 진다.

② 제1항에 따라 손해배상의 책임을 지는 사업자 등은 고의 또는 과실이 없음을 들어 그 피해자에 대한 책임을 면할 수 없다.

표시 · 광고의 공정화에 관한 법률 시행령

제3조(부당한 표시 · 광고의 내용) ① 법 제3조 제1항 제1호에 따른 거짓 · 과장의 표시 · 광고는 사실과 다르게 표시 · 광고하거나 사실을 지나치게 부풀려 표시 · 광고하는 것으로 한다.

② 법 제3조 제1항 제2호에 따른 기만적인 표시 · 광고는 사실을 은폐하거나 축소하는 등의 방법으로 표시 · 광고하는 것으로 한다.

③ 법 제3조 제1항 제3호에 따른 부당하게 비교하는 표시 · 광고는 비교 대상 및 기준을 분명하게 밝히지 아니하거나 객관적인 근거 없이 자기 또는 자기의 상품이나 용역(이하 "상품 등"이라 한다)을 다른 사업자 또는 사업자단체(이하 "사업자 등"이라 한다)나 다른 사업자 등의 상품 등과 비교하여 우량 또는 유리하다고 표시 · 광고하는 것으로 한다.

④ 법 제3조 제1항 제4호에 따른 비방적인 표시 · 광고는 다른 사업자 등 또는 다른 사업자 등의 상품 등에 관하여 객관적인 근거가 없는 내용으로 표시 · 광고하여 비방하거나 불리한 사실만을 표시 · 광고하여 비방하는 것으로 한다.

⑤ 제1항부터 제4항까지의 규정에 따른 부당한 표시 · 광고의 세부적인 유형 또는 기준은 공정거래위원회가 정하여 고시할 수 있다. 이 경우 공정거래위원회는 미리 관계 행정기관의 장과 협의하여야 한다.

CASE
22

아기 무게조차 버티지 못하는 부실한 최신식 TV, 보상받을 수 있을까요?

STORY

신혼인 민석 씨 부부는 둘 다 조용하고 편안한 걸 좋아하는 성향이라 TV 보는 것이 유일한 취미입니다. 그래서 혼수를 준비할 때도 다른 건 몰라도 TV만큼은 최고로 마련하고 싶어, 유명 전자회사의 60인치 최신 TV를 구입했습니다.

그런데 얼마 전, 민석 씨 집에서 집들이가 있었는데 두 살배기 조카가 TV 근처에서 놀다가 넘어질 뻔하자 TV를 잡고 쓰러지는 바람에 TV 액정이 왕창 깨졌습니다. 다행히도 조카는 다친 데가 없었지만 새로 산 TV가 크게 파손되었습니다. 민석 씨는 바로 AS센터로 달려가 견적을 내보았는데 수리비용이 상당히 많이 나왔습니다.

미안한 나머지 아이 엄마인 민석 씨의 누나가 비용을 대신 지불하겠다 고 말했지만, 누나를 상대로 돈을 받을 수는 없었습니다. 민석 씨가 곰곰이 생각해보니, 아이가 잡아당겨 넘어질 정도면 TV 제조사가 받침대를 부실하게 만든 건 아닌지 의심스러웠습니다. 이럴 경우 수리비용을 제조사에서 부담해야 하는 건 아닌지 궁금해졌습니다.

민석 씨는 제조사를 상대로 비용을 청구할 수 있는 건가요? 그리고 만약 민석 씨의 두 살배기 조카가 다쳤다면 어떻게 처리해야 할까요?

Advice : 손해배상을 청구할 수 있습니다.

해설

제조물의 결함

TV의 경우 과거에 비해 기술이 비약적으로 발전하여 대화면, 고성능의 제품이 출시되고 있습니다. 특히 화면이 커지고, 여러 가지 기능이 집약되어 사고 발생의 위험도 높아졌습니다. 가정에서는 아기가 TV를 잡아당겨 넘어질 경우도 있는 바, TV 제조사에서는 이러한 경우도 예측하여 TV 받침대, 무게중심 등을 안전하게 제조, 설계하여야 할 책무가 있는 것입니다. TV 제조사가 받침대, 무게중심 등을 원래 의도한 설계와 다르게 제조하여 안전성이 결여된 것이라면 '제조상의 결함'이 있는 것이고, 합리적인 대체설계를 하였더라면 피해나 위험을 줄일 수 있었음에도 대체설계를 채용하지 아니하여 안전성을 결여하였다면 '설계상의 결함'이 있는 것입니다. 아기가 TV를 잡아당길 정도로의 충격에도 TV가 넘어져 파손되었다면 이는 제조사 측에 받침대, 무게중심 등을 안전하게 제조, 설계하지 않은 과실이 있는 것으로 TV의 제조상, 설계상 결함이 있는 것입니다.

TV 수리비

TV 제조업체가 받침대, 무게중심 등을 안전하게 제조, 설계하지 않아 TV가 넘어져 파손되었다면 TV 제조업체의 제조, 설계상 주의의무 위반으로 인해 손해가 발생한 것이므로 TV 제조업체에 그 불법행위에 따른 손해배상을 청구할 수 있습니다(민법 제750조). 즉 민석 씨는 TV 제조사 측에 파손된 TV의 수리비를 손해배상으로 청구할 수 있는 것입니다.

아기의 치료비

TV 제조, 설계상 하자로 인해 TV 자체의 파손뿐 아니라 TV가 넘어져 아기가 다치는 등의 추가적인 생명, 신체, 재산상의 손해(확대손해)가 발생한 경우에는 제조물책임법에 따라 TV 제조업자에게 확대손해에 대해 손해배상을 청구할 수 있습니다(제조물책임법 제3조 제1항).

이러한 제조물책임의 경우 피해자는 제조물에 결함이 있다는 사실만 입증하면 제조업자가 제조물의 결함이 해당 제조물을 공급한 당시의 과학 · 기술 수준으로는 결함의 존재를 발견할 수 없었다는 사실이나, 해당 제조물을 공급한 당시의 법령에서 정하는 기준을 준수함으로써 발생하였다는 사실을 입증하지 못한다면 그 책임을 면할 수 없도록 규정하여 피해자를 보호하고 있습니다(제조물책임법 제4조 제1항).

제조물책임법

제3조(제조물책임) ① 제조업자는 제조물의 결함으로 생명 · 신체 또는 재산에 손해(그 제조물에 대하여만 발생한 손해는 제외한다)를 입은 자에게 그 손해를 배상하여야 한다.

제4조(면책사유) ① 제3조에 따라 손해배상책임을 지는 자가 다음 각 호의 어느 하나에 해당하는 사실을 입증한 경우에는 이 법에 따른 손해배상책임을 면(免)한다.

1. 제조업자가 해당 제조물을 공급하지 아니하였다는 사실
2. 제조업자가 해당 제조물을 공급한 당시의 과학·기술 수준으로는 결함의 존재를

발견할 수 없었다는 사실

3. 제조물의 결함이 제조업자가 해당 제조물을 공급한 당시의 법령에서 정하는 기준을 준수함으로써 발생하였다는 사실

4. 원재료나 부품의 경우에는 그 원재료나 부품을 사용한 제조물 제조업자의 설계 또는 제작에 관한 지시로 인하여 결함이 발생하였다는 사실

② 제3조에 따라 손해배상책임을 지는 자가 제조물을 공급한 후에 그 제조물에 결함이 존재한다는 사실을 알거나 알 수 있었음에도 그 결함으로 인한 손해의 발생을 방지하기 위한 적절한 조치를 하지 아니한 경우에는 제1항 제2호부터 제4호까지의 규정에 따른 면책을 주장할 수 없다.

CASE 23

6개월이나 남은 돌잔치 예약 취소, 정말 안 되는 걸까요?

STORY

오늘로 수찬 씨의 아들, 교민이의 돌이 딱 6개월 남았습니다. 수찬 씨는 요즘 교민이의 돌잔치 준비로 마음이 무척 분주합니다. 아이가 태어나고 지난 6개월이 쏜살같이 지난 걸 감안하면, 돌잔치까지 딱히 여유가 있을 것 같지 않기 때문입니다.

가장 급한 건, 돌잔치 장소를 정하는 것! 수찬 씨는 아이를 키우느라 바쁜 아내 대신 자기 나름대로 돌잔치 장소를 알아본 후, A뷔페전문점으로 결정하고 계약금 30만 원을 지불했습니다.

그날 저녁, 일이 일사천리로 진행되어 부푼 마음으로 집으로 돌아간 수찬 씨는 아내 유진 씨에게 A뷔페전문점을 예약했다고 말했습니다. 그랬더니, 유진 씨는 수찬 씨의 기대와는 반대로 A뷔페전문점과 B호텔 뷔페가 가격이 똑같은데, 상의도 없이 그렇게 중요한 일을 결정했냐면서 속상해했습니다. 잘하려고 한 마음을 몰라주는 것 같아 내심 서운했지만, 수찬 씨 생각에도 이왕 가격이 같다면 호텔에서 하는 게 더 좋을 것 같았습니다.

그래서 A뷔페전문점에 계약 취소를 요구하며 계약금을 돌려달라고 요청했더니, A뷔페전문점은 '소비자의 변심으로 취소 시 계약금을 환불해주지 않는다'는 약관규정을 들어 환불을 거부합니다.

아직 6개월이나 남았기에 A뷔페전문점에서 피해볼 것도 없는데, 약관을 빌미로 돌려주지 않는다는 게, 말이 되는 건가요?

Advice : 불공정약관으로 무효입니다.

해설

계약금의 법적 성질

계약금이란 계약을 체결할 때 당사자 일방이 상대방에게 교부하는 금전 기타 유가물을 말합니다. 우리 민법은 매매의 당사자 일방이 계약 당시에 금전 기타 물건을 계약금, 보증금 등의 명목으로 상대방에게 교부한 때에는 당사자 간에 다른 약정이 없는 한 당사자의 일방이 이행에 착수할 때까지 교부자는 이를 포기하고 수령자는 그 배액을 상환하여 매매계약을 해제할 수 있다고 규정하고 이를 유상계약에 준용하고 있습니다(민법 제565조 제1항, 제567조). 위 사례와 같이 뷔페 이용계약을 하면서 지급한 계약금은 당사자 사이에 다른 약정이 없는 한 해제권의 유보를 위해 수수된 해약금으로 추정됩니다. 그런데 위와 같이 소비자의 변심으로 취소 시 계약금을 환불해주지 않는다는 약관규정은 소비자가 그의 귀책사유로 계약상 채무를 불이행할 경우 계약금을 위약금으로 몰취하겠다는 특약이라 할 것이므로 손해배상액의 예정의 성질도 갖는 것입니다.

따라서 원칙적으로 수찬 씨가 단순 변심에 의해 A뷔페전문점에 이용계약을 체결하면서 교부한 계약금은 해약금 및 손해배상액의 예정의 성질을 가지고 있으므로, 수찬 씨는 위 교부한 계약금 30만 원을 포기하면서 계약을 해제할 수 있는 것입니다.

계약금 반환 불가 약관의 효력

위 사례에서 A뷔페전문점은 '소비자의 변심으로 취소 시 계약금을 환불해주지 않는다'라는 약관규정(손해배상액의 예정)을 이유로 수찬

아직 6개월이나 남았기에
A뷔페전문점에서 피해볼 것도 없는데,
약관을 빌미로 돌려주지 않는다는 게,
말이 되는 건가요?

씨에게 계약금의 환급이 불가능하다고 하고 있습니다. 위와 같이 약관은 사업자가 그 거래상의 우월한 지위를 이용해 불공정하게 작성하여 거래에 사용하기 쉬우며, 그러한 불공정한 약관은 건전한 거래질서에 반하고 소비자의 권익을 해치기 때문에 약관의 규제에 관한 법률에서는 신의성실의 원칙을 위반해 공정성을 잃은 약관 조항(예: 고객에게 부당하게 불리한 조항, 고객이 계약의 거래형태 등 관련된 모든 사정에 비추어 예상하기 어려운 조항, 계약의 목적을 달성할 수 없을 정도로 계약에 따르는 본질적 권리를 제한하는 조항)은 무효로 하는 등 불공정한 약관을 규제하고 있습니다(약관의 규제에 관한 법률 제6조).

일반적으로 수찬 씨와 같이 6개월 전에 계약을 해제할 경우에는 A뷔페전문점의 영업에 어떠한 손실도 없다 할 것입니다. 그럼에도 A뷔페전문점은 위와 같은 환불거부 약관 조항을 이유로 계약금을 몰취하려고 하고 있는 것으로 이는 '고객에게 부당하게 과중한 지연 손해금 등의 손해배상의무를 부담시키는 약관 조항' 및 '계약의 해제 또는 해지로 인한 사업자의 원상회복의무를 부당하게 경감하는 조항'으로 불공정한 약관에 해당하여 무효라 할 것입니다. 따라서 A뷔페전문점에서 계약금을 전액 몰취하려고 한다면 수찬 씨는 한국공정거래조정원 산하 약관분쟁조정협의회에 분쟁조정을 신청하거나 소송을 통해 계약금을 돌려받을 수 있을 것입니다.*

약관의 규제에 관한 법률

제6조(일반원칙) ① 신의성실의 원칙을 위반하여 공정성을 잃은 약관 조항은 무효이다.

② 약관의 내용 중 다음 각 호의 어느 하나에 해당하는 내용을 정하고 있는 조항은 공정성을 잃은 것으로 추정된다.

1. 고객에게 부당하게 불리한 조항
2. 고객이 계약의 거래형태 등 관련된 모든 사정에 비추어 예상하기 어려운 조항
3. 계약의 목적을 달성할 수 없을 정도로 계약에 따르는 본질적 권리를 제한하는 조항

제8조(손해배상액의 예정) 고객에게 부당하게 과중한 지연 손해금 등의 손해배상의무를 부담시키는 약관 조항은 무효로 한다.

제9조(계약의 해제 · 해지) 계약의 해제 · 해지에 관하여 정하고 있는 약관의 내용 중 다음 각 호의 어느 하나에 해당되는 내용을 정하고 있는 조항은 무효로 한다.

1. 법률에 따른 고객의 해제권 또는 해지권을 배제하거나 그 행사를 제한하는 조항
2. 사업자에게 법률에 규정하고 있지 아니하는 해제권 또는 해지권을 부여하여

* 민법 제398조 제2항에서는 『손해배상의 예정액이 부당히 과다한 경우에는 법원은 적당히 감액할 수 있다』고 규정하고 있고, 이와 관련하여 대법원은 『채권자와 채무자의 경제적 지위, 계약의 목적과 내용, 손해배상액을 예정한 경위(동기), 채무액에 대한 예정액의 비율, 예상 손해액의 크기, 그 당시의 거래관행과 경제상태, 채무자가 계약을 위반한 경우 등을 두루 참작한 결과, 손해배상 예정액의 지급이 채권자와 채무자 사이에 공정을 잃는 결과를 초래한다고 인정되는 경우에는 손해배상 예정액을 감액할 수 있다(대법원 1997.06.10. 선고 95다37094 판결)』고 판시하고 있는 바, 계약체결 당시의 제반사정, 거래관행, 예상 손해액 등을 고려하여 계약금의 환불 청구가 가능할 것입니다.

고객에게 부당하게 불이익을 줄 우려가 있는 조항

3. 법률에 따른 사업자의 해제권 또는 해지권의 행사 요건을 완화하여 고객에게 부당하게 불이익을 줄 우려가 있는 조항

4. 계약의 해제 또는 해지로 인한 원상회복의무를 상당한 이유 없이 고객에게 과중하게 부담시키거나 고객의 원상회복청구권을 부당하게 포기하도록 하는 조항

5. 계약의 해제 또는 해지로 인한 사업자의 원상회복의무나 손해배상의무를 부당하게 경감하는 조항

6. 계속적인 채권관계의 발생을 목적으로 하는 계약에서 그 존속기간을 부당하게 단기 또는 장기로 하거나 묵시적인 기간의 연장 또는 갱신이 가능하도록 정하여 고객에게 부당하게 불이익을 줄 우려가 있는 조항

CASE 24

모르고 계산하지 않은 물건을 가져온 아이, 절도범에 해당될까요?

STORY

다음날 제사에 쓸 물건을 사러 마트에 온 지원이(4세) 엄마, 효은 씨는 빠듯한 스케줄 중에 자투리 시간을 내어 장을 보고 있습니다. 한참 장을 보다 시간을 확인하니, 곧 방문 미술 선생님이 올 시간이어서 정신없이 계산을 하고 집으로 돌아왔습니다.

다행이 문 앞에서 미술 선생님을 만나 차질 없이 수업이 시작되었습니다. 그때 지원이가 선생님께 선물이라며 손에 들고 있던 포도맛 젤리를 건네는 것이었습니다.

세상에! 아무래도 정신없이 바쁘게 계산을 하느라 지원이 손에 들려 있던 젤리를 미처 보지 못하고 그냥 온 것 같았습니다. 효은 씨는 당황한 나머지 허락도 없이 젤리를 왜 들고 왔냐고 애꿎은 지원이만 잡았습니다. 그러자 미술 선생님은 아이가 모르고 한 일이라 큰 문제는 없을 것 같다고 말씀하셨습니다. 하지만 아이가 자신도 모르는 사이에 절도범이 되는 건 아닌지 효은 씨의 마음은 불안합니다. 사정이야 어쨌든 값을 치르지 않고 온 건, 절도 아닌가요?

Advice : 무죄입니다.

해설

절도죄는 고의범

절도죄는 타인의 재물을 절취하는 경우 성립하는 범죄입니다(형법 제329조). 마트에서 계산을 하지 않은 젤리를 가져온 것은 정상적인 소유, 점유의 이전이 있었다고 볼 수 없기 때문에 타인의 재물을 절취한 것에 해당합니다. 그런데 절도죄는 고의범만을 처벌하므로 절도죄가 성립하려면 절도의 고의(절취에 대한 인식, 의사)가 있어야 합니다. 위 사례의 경우 지원이나 효은 씨는 계산할 때 젤리 계산을 누락한 것일 뿐 젤리를 절취한다는 인식이나 의사가 전혀 없었던 것으로 보입니다. 따라서 절도죄의 주관적 구성요건인 고의가 없어 절도죄가 성립하지 아니하는 것입니다. 또한 지원이가 14세 미만일 경우에는 형사미성년자로 책임능력이 없어 책임이 조각되어 절도죄가 성립하지 아니합니다.

대금지급의무

형사상으로 절도죄가 되지 않는다고 민사상 책임이 없는 것은 아닙니다. 마트에서 물건을 계산대에 올려놓고 계산을 하는 것은 그 물건을 구매하겠다는 의사표시이므로, 마트에서는 구매자로부터 돈을 받고 물건을 교부하게 됩니다. 이러한 상호간의 의사표시에 따라 물건대금이 교부되고, 물건을 교부받으면 물건에 대한 구입(매매계약)이 완료되는 것입니다. 그런데 위 사례에서 지원이와 효은 씨는 젤리 값을 계산하지 아니하고 젤리를 가지고 간 것으로, 마트에서 계산을 하지 않아 대금채권의 존재를 그 당시에 알지 못하고 있었던 것뿐입니다. 따라서 지원이와 효은 씨가 젤리 대금을 지급할 채무는 그대로 존재하는 것입니다. 마트에서는 나중에라도 지원이가 젤리를 그냥 가져간 것을 알게 되면 대금을 청구할 수 있습니다. 지원이와 효은 씨가 젤리를 구매할 의사가 있었다면 젤리 값을 추후에라도 지급하면 되는 것이며, 젤리를 구매할 의사가 없었다면 젤리를 반납하면 될 것입니다.

CASE 25

어린이집 선생님과 유치원 선생님, 김영란법에서는 다르다고요?

STORY

현주 씨는 일곱 살 하윤이와 네 살 서윤이 남매를 두고 있습니다. 얼마 후면, 스승의 날! 어떤 엄마들은 학기를 다 마친 후 감사의 마음으로 가벼운 선물을 하는 게 좋은 것 같다고 하지만, 현주 씨 생각은 다릅니다. 이왕 하는 감사 인사라면 학년 중에 있는 스승의 날을 활용해 부담 없이 성의 표시를 하고 싶습니다. 그러면 남은 학기 동안 선생님께 아이를 편하게 맡길 수 있어 좋을 것 같습니다.

그런데 최근 고민이 생겼습니다. 부정청탁 및 금품 등 수수의 금지에 관한 법률, 속칭 김영란법이 생겼기 때문입니다.

그 법률이 적용되는 대상에 선생님들이 포함된다고 듣긴 했는데, 김영란법을 찾아서 읽기도 버겁고, 읽는다고 해도 실생활에 어떻게 적용되는지 피부에 와 닿지도 않습니다. 주변의 엄마들에게 물어봐도 모르기는 다들 마찬가지입니다.

그런데 법대를 나왔다는 한 엄마가 현주 씨의 경우 하윤이와 서윤이의 경우가 다를 거라고 말해주었습니다. 현주 씨는 같은 선물인데 두 아이의 경우가 다르다는 게 선뜻 이해가 되지 않았습니다.

1) 유치원에 다니고 있는 일곱 살 하윤이의 경우, 스승의 날에 선생님께 선물을 드리는 것이 부정청탁 및 금품 등 수수의 금지에 관한 법률에 위반되는 건가요?

2) 어린이집에 다니고 있는 네 살 서윤이의 경우, 스승의 날에 어린이집 선생님께 선물을 드리는 게 위의 법률에 위반되는 건가요?

Advice : 1) 유치원 선생님은 법률에 위반됩니다.

2) 어린이집 선생님에 대해서는 견해가 대립됩니다.

해설

부정청탁 및 금품 등 수수의 금지에 관한 법률이란

부정청탁 및 금품 등 수수의 금지에 관한 법률(약칭 : 청탁금지법)이란, 우리나라의 고질적인 공직자 등에 대한 부정한 청탁, 공직자 등의 금품 등의 수수(收受)행위를 금지함으로써 공직자 등의 공정한 직무수행을 보장하고 공공기관에 대한 국민의 신뢰를 확보하기 위해 제정된 법을 말합니다(법 제1조). 김영란 전 국민권익위원장이 추진하였다고 하여 김영란법으로 불리고 있습니다.

적용범위

청탁금지법은 공공기관의 공직자 등에 대한 부정한 청탁, 공직자 등의 금품 수수행위를 금지하고 있는데, 청탁금지법 제2조 제1호의 "공공기관"에 "「초 · 중등교육법」, 「고등교육법」, 「유아교육법」 및 그 밖의 다른 법령에 따라 설치된 각급 학교 및 「사립학교법」에 따른 학교법인"이 포함되며, 제2호의 "공직자 등"에 "제1호 라목에 따른 각급 학교의 장과 교직원 및 학교법인의 임직원"이 포함되는 것으로 규정하고 있습니다.*

유치원 교사, 어린이집 교사의 경우

청탁금지법에 의하면, 「유아교육법」에 따라 설치된 각급 학교 및 「사립학교법」에 따른 학교법인의 학교의 장과 교직원 및 학교법인의 임직원은 이 법의 적용을 받는 자에 해당합니다. 유치원은 유아교육법에 따라 설립, 운영되는 학교(유아교육법 제2조)이고, 유아교육법에서는 국립유치원(국가가 설립, 경영하는 유치원), 공립유치원(지방자치단체가 설립, 경영하는 유치원), 사립유치원(법인 또는 사인이 설립, 경영하는 유치원)을 그 적용대상으로 하고 있으므로(동법 제7조**), 국 · 공립유치원, 사립유치원 교직원, 임직원은 모두 청탁금지법의 적용대상입니다.

어린이집의 경우 보호자의 위탁을 받아 영유아를 보육하는 기관으로 유아교육법이 아니라 영유아보육법에 따라 설치, 운영되는 기관

* 청탁금지법에서는 공무원이 아님에도 사립학교 관계자(예 : 사립유치원 교사)도 공무원과 같이 공직자 등에 포함시켜 규제하여 과잉 입법 등을 이유로 위헌성 논란이 있었으나, 2016. 7. 28. 2015헌마236, 412, 673(병합), 2015헌마662(병합) 사건에서 사립학교의 경우에도 국 · 공립학교와 본질적인 차이가 없고, 교직원 등에 대한 학부모 및 학생들의 신뢰 형성을 위해 고도의 청렴성이 요구되고, 사립학교 운영과정에서 각종 비리, 부패행위를 근절시키기 위해 필요최소한도로 입법한 것으로 관계자의 일반적 행동자유권, 평등권을 침해하지 아니한다고 합헌 결정을 한 바 있습니다.

** **유아교육법 제7조(유치원의 구분)** 유치원은 다음 각호와 같이 구분한다.

1. 국립유치원 : 국가가 설립 · 경영하는 유치원
2. 공립유치원 : 지방자치단체가 설립 · 경영하는 유치원(설립 주체에 따라 시립유치원과 도립유치원으로 구분할 수 있다)
3. 사립유치원 : 법인 또는 사인(私人)이 설립 · 경영하는 유치원

(영유아보육법 제2조)이므로 원칙적으로 청탁금지법의 적용대상이 아닙니다. 따라서 유치원 교사에게 선물을 줄 경우에는 김영란법에 저촉될 수 있으나, 어린이집 교사에게 선물을 줄 경우에는 김영란법에 저촉되지 않는 것입니다. 그러나 국공립 어린이집이나 누리과정을 운영하는 어린이집의 경우에는 공무를 수행하는 사인(私人)으로서 청탁금지법의 적용을 받는 공무원 등에 포함될 수 있습니다.

선물의 허용범위

청탁금지법에서는 공직자 등이 직무관련 여부 불문하고 동일인으로부터 1회에 100만 원 또는 매 회계연도에 300만 원을 초과하는 금품 등을 받거나 요구 또는 약속한 경우에는 3년 이하의 징역 또는 3,000만 원 이하의 벌금(제22조 제1항 제1호)에 처하고, 직무와 관련하여 대가성 여부를 불문하고 동일인으로부터 위 금액 이하의 금품 등을 받은 경우에는 3,000만 원 이하의 과태료를 부과하도록 규정하고 있습니다(제23조 제5항 제1호). 뿐만 아니라 금품 등을 제공한 자도 이와 동일하게 형사처벌 또는 과태료를 부과하도록 규정하고 있습니다(제22조 제1항 제3호, 제23조 제5항 제3호).

다만, 청탁금지법 제8조 제3항 제2호, 제8호에서는 『원활한 직무수행 또는 사교 · 의례 또는 부조의 목적으로 제공되는 음식물 · 경조사비 · 선물 등으로서 대통령령으로 정하는 가액 범위 안의 금품 등(음식물 3만 원, 선물 5만 원, 경조사비 10만 원), 그 밖에 다른 법령 · 기준 또는 사회상규에 따라 허용되는 금품 등』의 경우에는 수수를 금지하는 금품 등에 해당하지 아니한다고 규정하고 있으나, 앞서 본 바와 같이 허용되는 범위 내의 선물이 아니라면 그 어떤 것도 제공하지 않아야 할 것입니다.

부정청탁 및 금품 등 수수의 금지에 관한 법률

제2조(정의) 이 법에서 사용하는 용어의 뜻은 다음과 같다.

1. "공공기관"이란 다음 각 목의 어느 하나에 해당하는 기관 · 단체를 말한다.

가. 국회, 법원, 헌법재판소, 선거관리위원회, 감사원, 국가인권위원회, 중앙행정기관(대통령 소속 기관과 국무총리 소속 기관을 포함한다)과 그 소속 기관 및 지방자치단체

나. 「공직자윤리법」 제3조의2에 따른 공직유관단체

다. 「공공기관의 운영에 관한 법률」 제4조에 따른 기관

라. 「초 · 중등교육법」, 「고등교육법」, 「유아교육법」 및 그 밖의 다른 법령에 따라 설치된 각급 학교 및 「사립학교법」에 따른 학교법인

마. 「언론중재 및 피해구제 등에 관한 법률」 제2조 제12호에 따른 언론사

2. "공직자 등"이란 다음 각 목의 어느 하나에 해당하는 공직자 또는 공적 업무 종사자를 말한다.

가. 「국가공무원법」 또는 「지방공무원법」에 따른 공무원과 그 밖에 다른 법률에 따

라 그 자격 · 임용 · 교육훈련 · 복무 · 보수 · 신분보장 등에 있어서 공무원으로 인정된 사람

나. 제1호 나목 및 다목에 따른 공직유관단체 및 기관의 장과 그 임직원

다. 제1호 라목에 따른 각급 학교의 장과 교직원 및 학교법인의 임직원

라. 제1호 마목에 따른 언론사의 대표자와 그 임직원

3. "금품 등"이란 다음 각 목의 어느 하나에 해당하는 것을 말한다.

가. 금전, 유가증권, 부동산, 물품, 숙박권, 회원권, 입장권, 할인권, 초대권, 관람권, 부동산 등의 사용권 등 일체의 재산적 이익

나. 음식물 · 주류 · 골프 등의 접대 · 향응 또는 교통 · 숙박 등의 편의 제공

다. 채무 면제, 취업 제공, 이권(利權) 부여 등 그 밖의 유형 · 무형의 경제적 이익

부정청탁 및 금품 등 수수의 금지에 관한 법률 시행령

제17조(사교 · 의례 등 목적으로 제공되는 음식물 · 경조사비 등의 가액 범위) 법 제8조 제3항 제2호에서 "대통령령으로 정하는 가액 범위"란 [별표 1]에 따른 금액을 말한다.

[별표1] 음식물 · 경조사비 · 선물 등의 가액 범위(제17조 관련)

구분	가액 범위
1. 음식물 : 제공자와 공직자 등이 함께하는 식사, 다과, 주류, 음료, 그 밖에 이에 준하는 것	3만 원
2. 경조사비 : 축의금, 조의금 등 각종 부조금과 부조금을 대신하는 화환 · 조화, 그 밖에 이에 준하는 것	10만 원
3. 선물 : 금전 및 제1호에 따른 음식물을 제외한 일체의 물품 또는 유가증권, 그 밖에 이에 준하는 것	5만 원

비고

가. 제1호의 음식물, 제2호의 경조사비 및 제3호의 선물의 각각의 가액 범위는 각 호의 구분란에 해당하는 것을 모두 합산한 금액으로 한다.

나. 제1호의 음식물과 제3호의 선물을 함께 수수한 경우에는 그 가액을 합산한다. 이 경우 가액범위는 5만 원으로 하되, 제1호 또는 제3호의 가액범위를 각각 초과해서는 안 된다.

다. 제1호의 음식물과 제2호의 경조사비를 함께 수수한 경우 및 제2호의 경조사비와 제3호의 선물을 함께 수수한 경우에는 각각 그 가액을 합산한다. 이 경우 가액범위는 10만 원으로 하되, 제1호부터 제3호까지의 규정에 따른 가액범위를 각각 초과해서는 안 된다.

라. 제1호의 음식물, 제2호의 경조사비 및 제3호의 선물을 함께 수수한 경우에는 그 가액을 합산한다. 이 경우 가액범위는 10만 원으로 하되, 제1호부터 제3호까지의 규정에 따른 가액범위를 각각 초과해서는 안 된다.

CASE 26

놀이기구를 타고 싶어서 단지 3센티미터를 속였을 뿐인데, 문제가 될까요?

STORY

유치원에 다니고 있는 일곱 살 성민이. 최근 반 아이들 사이에서의 최고 화제는 놀이동산의 바이킹입니다. 얼마 전, 키가 120센티미터가 넘는 몇몇 아이들이 바이킹을 타고 와서는 영웅담을 늘어놓고 있기 때문입니다.

친구들의 이야기를 듣고 있자니, 성민이도 바이킹을 타고 싶은 마음이 굴뚝같습니다. 하지만 이미 바이킹을 타고 온 친구들이 성민이가 키가 작아서 바이킹을 탈 수 없다며 약을 올립니다.

117센티미터. 일곱 살치고 작은 편은 아니지만, 안타깝게도 바이킹 탑승 기준에서 3센티미터가 부족한 성민이. 어떻게든 바이킹을 타고 싶었던 성민이는 주말을 맞아 아빠를 졸라 놀이동산에 갔습니다. 바이킹을 타고 싶은 마음에 몰래 신발에 깔창을 넣은 성민이는 안전요원이 키를 잴 때 안전기준 120센티미터를 넘겨 마침내 바이킹을 타고야 말았습니다.

비로소 짜릿한 스릴감을 맛본 성민이. 한껏 들뜬 상태로 집으로 돌아와 엄마에게 자랑을 했습니다. 성민이 엄마는 깜짝 놀랐습니다. 성민이의 키는 120센티미터가 안 된다는 걸 알고 있었기 때문입니다.

강제로 키를 확인하는 성민이 엄마. 3센티미터 모자라는 걸 보고, 어떻게 된 일인지 애꿎은 아빠만 추궁하자, 성민이는 그제야 키를 속인 사실을 고백합니다.

사고라도 났으면 어쩔 뻔했는지 아찔한 성민의 부모. 다행이 아무런 사고도 나지 않았지만, 혹시 이런 경우 직원에게 발각되면 어떤 문제가 있을 수 있나요?

Advice : 해설을 참조하세요.

해설

안전기준의 필요성

놀이공원 측에서 놀이기구 탑승 시 연령제한, 키제한 등을 설정하는 이유는 안전사고를 미연에 방지하기 위함입니다. 그래서 놀이공원에서는 놀이기구를 탑승하려는 사람들에게 안전하게 놀이기구를 탑승할 수 있는 안전기준을 알려주고, 그 기준에 미달하는 경우 탑승을 제한하고 있는 것입니다. 이러한 안전기준은 놀이기구 탑승 시 서로 간에 지키기로 합의된 조건, 계약내용이라 할 것입니다.

위 사례는 성민이가 바이킹을 너무나 타고 싶은 나머지 아빠 몰래 키를 속이기 위해 신발에 깔창을 넣고 키 제한을 통과해서 바이킹을 탄 경우로 사고는 없었으나 다른 법률적 문제는 없는지 살펴보겠습니다.

안전기준 위반 이용자의 책임

안전기준은 놀이시설 운영자가 놀이기구의 안전한 운영 및 이용자의 안전을 위해 정해놓은 이용자가 준수해야 할 최소한의 기준입니다. 만약 성민이와 같이 상호 이용 시 준수하기로 합의된 키 제한 규

직원에게 발각되면
어떤 문제가 있을 수 있나요?

정을 어기고 키를 속여 놀이기구를 탔을 경우 이러한 합의에 위반한 행동이 되는 것입니다. 그러나 현실적으로 사고가 발생하지 않았다면 민사적으로는 이용계약 위반이라 하더라도 어떠한 손해가 발생하였다고 볼 수 없기에 민사상 책임은 발생하지 아니할 것으로 보입니다.

그러나 형사책임과 관련해서는 신발에 깔창을 넣어 키를 속여 바이킹을 탄 것은 놀이공원 측의 안전관리 업무를 방해한 것으로 위계에 의한 업무방해죄*(형법 제314조 제1항)가 성립할 여지가 있습니다(업무방해죄는 추상적 위험범으로 현실적으로 업무방해의 결과가 발생하지 아니하였더라도 업무를 방해할 위험이 초래되면 죄가 성립합니다). 즉 안전관리 담당자가 성민이의 키 측정을 충실하게 하지 아니하여 부자연스러운 성민이의 모습을 보고도 키 제한기준을 넘긴 것으로 판단하여 놀이기구에 탑승시켰다면 이는 업무 담당자의 불충분한 심사에 기인한 것으로서 위계가 업무방해의 위험성을 발생시켰다고 할 수 없어 위계에 의한 업무방해죄를 구성하지 않는다고 할 것이나, 안전관리 담당자가 키 측정을 충실히 하였음에도 키를 속인 것을 발견하지 못하여 놀이기구에 탑승시킨 것이라면 이는 위계행위에 의하여

* 위계에 의한 업무방해죄에 있어서 위계라 함은 행위자의 행위목적을 달성하기 위하여 상대방에게 오인, 착각 또는 부지를 일으키게 하여 이를 이용하는 것을 말하며, 상대방이 이에 따라 그릇된 행위나 처분을 하였다면 위계에 의한 업무방해죄가 성립된다(대법원 1992.06.09. 선고 91도2221 판결).

업무방해의 위험성이 발생된 것이어서 위계에 의한 업무방해죄가 성립된다 할 것입니다(대법원 2010. 3. 25. 선고 2008도4228 판결).*

다만, 성민이는 바이킹을 타려는 생각만 있었던 것뿐이고, 놀이공원의 안전관리 업무를 방해하려는 고의가 있었다고 볼 수 없고, 성민이의 경우 7세로 형사미성년자(14세 미만)에 해당하여 책임능력이 없기 때문에 결국 처벌되지는 아니할 것으로 보입니다.

형법

제314조(업무방해) ① 제313조의 방법(허위의 사실을 유포, 기타 위계) 또는 위력으로써 사람의 업무를 방해한 자는 5년 이하의 징역 또는 1,500만 원 이하의 벌금에 처한다.

② 컴퓨터 등 정보처리장치 또는 전자기록 등 특수매체기록을 손괴하거나 정보처리장치에 허위의 정보 또는 부정한 명령을 입력하거나 기타 방법으로 정보처리에 장애

* [판례] 업무방해죄의 성립에 있어서는 업무방해의 결과가 실제로 발생함을 요하지 아니하며 업무방해의 결과를 초래할 위험이 발생하면 족하다. 한편, 상대방으로부터 신청을 받아 상대방이 일정한 자격요건 등을 갖춘 경우에 한하여 그에 대한 수용 여부를 결정하는 업무에 있어서는 신청서에 기재된 사유가 사실과 부합하지 않을 수 있음을 전제로 그 자격요건 등을 심사 · 판단하는 것이므로, 그 업무 담당자가 사실을 충분히 확인하지 아니한 채 신청인이 제출한 허위의 신청사유나 허위의 소명자료를 가볍게 믿고 이를 수용하였다면 이는 업무 담당자의 불충분한 심사에 기인한 것으로서 신청인의 위계가 업무방해의 위험성을 발생시켰다고 할 수 없어 위계에 의한 업무방해죄를 구성하지 않는다고 할 것이지만, 신청인이 업무 담당자에게 허위의 주장을 하면서 이에 부합하는 허위의 소명자료를 첨부하여 제출한 경우 그 수리 여부를 결정하는 업무 담당자가 관계 규정이 정한 바에 따라 그 요건의 존부에 관하여 나름대로 충분히 심사를 하였으나 신청사유 및 소명자료가 허위임을 발견하지 못하여 그 신청을 수리하게 될 정도에 이르렀다면 이는 업무 담당자의 불충분한 심사가 아니라 신청인의 위계행위에 의하여 업무방해의 위험성이 발생된 것이어서 이에 대하여 위계에 의한 업무방해죄가 성립된다(대법원 2010.3. 25. 선고 2008도4228 판결).

를 발생하게 하여 사람의 업무를 방해한 자도 제1항의 형과 같다.

만약 키를 속인 성민이가 놀이기구를 타던 중 안전바 등의 부실 작동 등으로 다쳤다면 성민이 측에서는 놀이기구 운영자 측에 안전바 등의 부실 작동 등을 이유로 민법 제758조의 공작물책임을 물을 수 있을 것입니다. 다만, 성민이가 키를 속여 사고발생에 기여한 점이 있고, 성민이 아빠에게도 성민이를 제대로 관리, 감독을 하지 아니한 책임이 있는 바 그 책임 정도에 따라 과실이 참작될 것입니다.

CASE 27

애가 얼마나 먹는다고! 뷔페에서 나이를 속이면, 죄가 될까요?

STORY

얼마 전, 폐렴을 심하게 앓은 준원이. 잘 먹이라는 의사 선생님의 권유도 있었고, 병을 잘 이겨낸 준원이가 대견한 준원 엄마는 네 살이 된 준원이의 생일을 맞아 S호텔 뷔페를 예약했습니다. 할머니, 할아버지도 초대하자는 준원이의 제안으로 간만에 대가족이 모여 거한 식사를 하게 되었습니다.

그런데 평소 검소하기로 유명한 준원의 할아버지가 호텔 뷔페 가격을 확인하고는 비싸다고 불편해하며, 되돌아가기에는 늦었으니 어떻게든 절약할 수 있는 방법을 찾아보자고 말씀하셨습니다. 그러다 만 3세, 즉 36개월 이상부터 적용되는 소아요금을 확인하고는 오늘로 딱 36개월이 되는 준원이의 월령을 줄여서 혜택을 보자고 권유합니다.

굳이 이렇게까지 해야 하는 건지 내키지 않아 준원 엄마가 고민하는 사이, 준원이 할아버지는 이미 호텔 직원에게 준원이가 35개월이라고 말했습니다.

결국 준원이는 뷔페 요금을 내지 않고 맛있게 식사를 했는데요, 이런 경우, 어떤 문제가 생길 수 있는 건가요?

Advice : 사기죄가 성립합니다.

해설

나이 속여 요금 안 내는 것은 사기죄

일반적으로 자신의 나이를 속인다고 하더라도 법률관계에 영향이 없다면 문제가 되지 아니합니다(예: 연예인들이 나이를 속이는 경우). 그러나 위 사례와 같이 나이에 따라 요금이 달라지거나 면제되는 경우는 어떨까요? 위 경우 나이를 속이는 것이 법률적으로 문제가 없는지 살펴보겠습니다.

사기죄는 사람을 기망하여 재물의 교부를 받거나 재산상의 이익을 취득한 때 성립하는 범죄입니다(형법 제347조). 준원이의 할아버지가 호텔 직원에게 준원이의 나이를 35개월이라고 한 것은 준원이의 뷔페 요금을 내지 않기 위해 호텔 직원을 속인 것으로 사기죄의 기망에 해당합니다. 그리고 준원이 할아버지의 말에 속은 호텔 직원이 준원이의 뷔페 요금을 면제해준 것은 사기죄의 처분행위에 해당하고, 준원이의 할아버지가 요금면제라는 재산상의 이익을 취득한 것이 되어 사기죄가 성립하는 것입니다.

다만, 호텔 직원이 준원이가 36개월이 넘은 아이로 보임에도 불구하고 준원이가 실제 36개월이 넘었는지 안 넘었는지를 증빙서류 등을 통해 확인하지 않고 그냥 요금을 면제해준 경우 또는 36개월이 넘었을 가능성도 있으나 어린아이의 경우 얼마 먹지 않기에 요금을 면제해주어도 되겠다고 생각하고 요금을 면제해준 경우에는 채무 면제에 대한 묵시적 의사(양해)가 있었다고 볼 여지도 있습니다.

CASE 28

환자가 봉? 병원의 과잉진료, 손해배상을 청구할 수 있을까요?

STORY

더위가 기승을 부리던 어느 날, 네 살배기 주하의 부모는 밤늦게까지 아이와 함께 놀다 왔습니다. 집에 와 보니, 주하의 몸 곳곳이 모기 물린 자리로 성한 곳이 없었습니다. 시간이 지날수록 모기 물린 부위가 엄청나게 부풀더니 갑자기 열까지 나기 시작했습니다. 혹시 큰 병에 걸린 건 아닌지 걱정된 주하 아빠는 종합병원 응급실에 가려다가 마침 야간까지 문을 연 소아과가 있다고 해서 그곳에서 진료를 받기로 했습니다.

주하를 살펴보던 소아과 의사는 모기에 물려서는 증상이 이렇게까지 나타나지 않는다면서 다른 알레르기가 있는지 피 검사를 해야 한다고 했습니다. 지금까지 한 번도 피를 뽑아본 적이 없는 주하는 고무줄로 팔을

묶고 주사기를 들이대자, 기겁해 몸부림치며 울었습니다. 겁에 질린 아이를 보다 못해 주하 아빠는 급한 검사가 아니면 나중에 받겠다고 말하고 주하를 데리고 나왔습니다.

다음날, 원래 다니던 소아과를 찾은 주하 아빠는 전날 있었던 일을 이야기했습니다. 그러자 의사는 어린아이들은 면역력이 약해서 모기를 많이 물리면 일시적으로 심하게 붓고 열이 동반될 수 있다고 말해주었습니다. 그제야 아무래도 전날 간 소아과에서 과잉진료를 한 것 같다는 생각이 든 주하 아빠는 주하가 고생한 걸 생각하니 전날 진료 본 의사가 아주 괘씸합니다. 소아과에 손해배상을 청구하고 싶은데요. 가능할까요?

Advice : 손해배상을 청구할 수 있습니다.

해설

의사의 불필요한 검사를 하지 않을 주의의무

의료행위는 환자의 생명, 신체에 물리적, 화학적으로 침해를 가함으로써 치료효과를 발생시키는 행위입니다. 의사의 의료행위는 위와 같이 환자의 생명, 신체에 침해가 있어 상해죄가 성립할 수 있으나,

환자의 치유를 위하여 현재의 의학수준에 비추어 필요하고 적절한 조치를 다하여 하는 의료행위라면 위법성이 조각되는 것입니다.

위 사례에서 주하의 피부발진 및 발열의 원인이 모기로 인한 것이 분명하고 알레르기가 있다 하더라도 특별한 조치를 취할 상황이 아니었다면 의사가 무리하게 그 시점에 알레르기 검사를 수행하지 않아도 됨에도 마치 긴급하게 알레르기 검사를 하여 특별한 조치를 하여야 하는 것처럼 설명하고 알레르기 검사를 시도한 것이므로 이는 불필요한 과잉진료에 해당하고, 신체 상해를 하였다면 이는 위법성이 조각되지 않는 상해행위, 불법행위에 해당할 것입니다.

구제방법

위 사례와 같이 과잉진료라는 의심이 들 경우에는 건강보험심사평가원에 병원이나 의원 등에서 부담한 비급여 진료비의 적정성에 관하여 진료비 확인요청을 신청하여 부당 진료비를 환급받을 수 있으며, 민사소송을 통해 손해배상청구도 가능할 것입니다.

인간의 생명과 건강을 담당하는 의사는 그 업무의 성질에 비추어 치료에 앞서 실시하는 검사가 특히 신체의 손상을 가져올 우려가 있는 경우에는 불필요한 검사를 실시하지 아니할 주의의무가 있다(대법원 1998.03.27. 선고 97다56761 판결)고 판시한 바 있습니다.

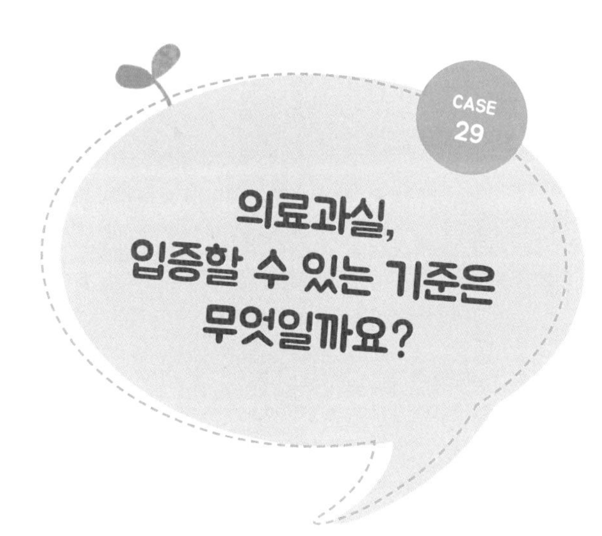

STORY

평소처럼 어린이집을 다녀온 다연이. 오후 내내 잘 놀던 다연이가 다 저녁부터 갑자기 고열이 나기 시작했습니다. 어린이집을 다닌 후로는 거의 감기를 달고 사는 다연이기에 다연 엄마는 초기에 병을 잡으려고 얼른 소아과에 데리고 가 진찰을 받았습니다.

다연이를 진찰한 의사는 목이 많이 부어서 열이 난 것이라며 큰 문제는 없으니 처방해준 약을 제대로 먹이고 3일 후에 오라고 일러주었습니다. 물론 열이 잡히지 않으면 그 전이라도 오라는 말도 덧붙여서요.

그런데 약을 먹여도 다연이의 증상은 나아기는커녕 점점 더 심각해졌습니다. 그제야 다연이 부모는 그날 저녁 급하게 종합병원 응급실을 찾았습니다. 응급실 의사가 몇 가지 검사를 하더니, 폐렴이라는 진단을 내렸습니다.

경험상 몇 시간 만에 단순 목감기가 폐렴으로 진행될 리가 없을 것 같은 생각이 드는 다연 엄마. 아무래도 소아과에서 애초에 폐렴을 못 잡아낸 것 같은데, 이런 경우 의료과실 아닌가요?

Advice : 폐렴의 주요 증상이 나타났음에도 진단을 못 한 경우는 의료과실의 책임을 물 수 있습니다.

해설

의료과실 인정기준

의사가 진찰, 치료 등의 의료행위를 함에 있어서는 사람의 생명, 신체 건강을 관리하는 업무의 성질에 비추어 환자의 구체적인 증상이나 상황에 따라 위험을 방지하기 위해 요구되는 최선의 처치를 행해야 할 주의의무가 있습니다. 의사가 이러한 주의의무를 위반해 예견할 수 있는 병증을 예상하지 못하고 그에 따른 적절한 치료를 하지 못한 경우에는 의료상 과실이 있다 할 것입니다.

의사의 이와 같은 주의의무는 의료행위를 할 당시 의료기관 등 임상의학 분야에서 실천되고 있는 의료행위의 수준을 기준으로 삼되, 그 의료수준은 통상의 의사에게 의료행위 당시 일반적으로 알려져 있고 또 시인되고 있는 이른바 의학상식을 뜻하므로 진료환경 및 조건, 의료행위의 특수성 등을 고려하여 규범적인 수준으로 파악되어야 합니다(대법원 2005.10.28. 선고 2004다13045 판결).

따라서 의사가 행한 의료행위가 그 당시의 의료수준에 비추어 최선을 다한 것으로 인정되는 경우에는 의사에게 환자를 진료함에 있어서 요구되는 주의의무를 위반한 과실이 있다고 할 수 없으며, 특히 의사의 질병 진단의 결과에 과실이 없다고 인정되는 이상 그 요법으로서 어떠한 조치를 취하여야 할 것인가는 의사 스스로 환자의 상황에 터 잡은 자기의 전문적 지식 · 경험에 따라 결정하여야 할 것이고, 생각할 수 있는 몇 가지의 조치가 의사로서 취할 조치로서 합리적인 것인 한 그 어떤 것을 선택할 것이냐는 당해 의사의 재량의 범위 내에 속하고 반드시 그 중 어느 하나만이 정당하고 이와 다른 조치를 취한 것은 모두 과실이 있는 것이라고 할 수 없는 것입니다(대법원 1999.03.26. 선고 98다45379 판결).

폐렴 진단 및 치료를 못한 경우

폐렴은 폐에 염증이 생겨서 폐의 정상적인 기능에 장애가 생겨 발생하는 폐 증상과 신체 전반에 걸친 전신적인 증상이 나타나는 바,* 다연이가 이러한 폐렴의 일반적인 증상을 호소하였음에도 이를 폐렴이라고 인식하지 못하고 적절한 치료를 하지 못한 경우라면 의사에게 의료상 과실이 있는 것이고 불법행위에 따른 손해배상책임이 있습니다.

그러나 다연이가 폐렴의 일반적인 증상을 호소하지도 않았고 진료시 특별한 증상도 없었고 다연이의 진료 당시 상태와 처치내용에 대해 충분히 설명을 하였다면 의료상 과실은 없다 할 것입니다.

* 폐 증상으로는 호흡기계 자극에 의한 기침, 염증 물질의 배출에 의한 가래, 숨 쉬는 기능의 장애에 의한 호흡곤란 등이 나타납니다. 가래는 끈적하고 고름 같은 모양으로 나올 수 있고, 피가 묻어 나오기도 합니다. 폐를 둘러싸고 있는 흉막까지 염증이 침범한 경우 숨 쉴 때 통증을 느낄 수 있고 호흡기 이외에 소화기 증상, 즉 구역, 구토, 설사의 증상도 발생할 수 있습니다. 또한 두통, 피로감, 근육통, 관절통 등의 신체 전반에 걸친 전신 질환이 발생할 수 있습니다. 전신 질환의 반응에 의해 보통 열이 납니다. 폐의 염증이 광범위하게 발생하여 폐의 1차 기능인 산소 교환에 심각한 장애가 발생하면 호흡부전으로 사망에 이르게 됩니다[네이버 지식백과].

CASE 30

낮잠을 방해하는 층간소음, 자제시킬 수 있을까요?

STORY

방송국 기자인 진승 씨. 진승 씨는 사건이 터지면 밤이든 주말이든 가리지 않고 일해야 하는 직업의 특수성 때문에 평소 잠을 거의 못 잡니다. 특히, 새벽 뉴스를 진행할 때는 밤낮이 뒤바뀌어 낮잠과 조각 잠은 기본입니다. 그런 진승 씨가 오랜만에 주말에 집에서 푹 쉴 수 있게 되었습니다. 진승 씨는 그동안 부족했던 잠을 보충하기 위해 무조건 늦잠을 자기로 작정했습니다.

그런데 다음날 아침, 잠을 자던 진승 씨가 위층에서 나는 소리에 깜짝 놀라 침대에서 벌떡 일어납니다. 이른 아침이라 진승 씨는 다시 잠을 청하기 위해 누웠지만 그 후로도 계속된 층간소음 때문에 결국 잠을 못 이루고 일어나야만 했습니다.

이전엔 신혼부부가 살았는데, 아무래도 사내아이들이 많은 집이 새로 이사를 왔나 봅니다. 얼마나 뛰는지 집이 곧 무너질 것 같습니다.

진승 씨는 주말에 낮잠을 통해서라도 피로를 풀었으면 좋겠는데, 소음은 잦아들지 않습니다. 조용히 해달라고 요청하고 싶은데, 낮 시간이라도 가능한 건가요?

Advice : 수인한도가 넘는 경우, 조용히 해달라고 요청할 수 있습니다.

해설

층간소음과 수인한도

층간소음이란 아파트와 같은 공동주택에서 입주자 또는 사용자의 활동으로 인하여 발생하는 소음으로서 다른 입주자 또는 사용자에게 피해를 주는 직접충격 소음(뛰거나 걷는 동작 등으로 발생하는 소음), 공기전달 소음(텔레비전, 음향기기 등의 사용으로 인하여 발생하는 소음)을 말합니다(욕실, 화장실 및 다용도실 등에서 급수, 배수로 인하여 발생하는 소음은 제외).

이웃주민이 층간소음을 유발할 경우 단순히 이를 참아야만 하는지 아니면 어떠한 조치를 요구할 수 있는지 의문이 있을 수 있습니다. 민법 제217조에서는 『토지소유자는 매연, 열기체, 액체, 음향, 진동 기타 이에 유사한 것으로 이웃 토지의 사용을 방해하거나 이웃 거주자의 생활에 고통을 주지 아니하도록 적당한 조치를 할 의무가 있고, 이웃 거주자는 전항의 사태가 이웃 토지의 통상의 용도에 적합한 것인 때에는 이를 인용할 의무가 있다』고 규정하여 일정수준(수인한도)을 넘는 소음에 대해서는 이웃의 생활을 침해하는 불법행위로 보고 있습니다. 즉 수인한도 내의 층간소음이라면 상린관계상 인용하여야 하는 것이며, 수인한도를 넘는 층간소음이라면 소음방지 조치를 요청할 수 있는 것입니다.

층간소음에 관한 수인한도의 기준으로는 공동주택 층간소음의 범위와 기준에 관한 규칙(2014. 6. 3. 환경부령 제559호, 국토교통부령 제97호로 제정)이 있는데, 위 규칙 제3조 [별표]에서는 아래와 같이 주간(06:00~22:00)에 직접충격음은 1분간 등가소음도(Leq) 43dB(A), 공기전달음은 5분간 등가소음도(Leq) 45dB(A), 야간(22:00~06:00)에 직접충격음은 1분간 등가소음도(Leq) 38dB(A), 공기전달음은 5분간 등가소음도(Leq) 40dB(A)를 넘는 경우에는 수인한도를 넘는 소음으로 규정하고 있습니다.

수인한도를 넘는 층간소음 시 구제책

수인한도 내의 층간소음이라면 진승 씨도 상린관계의 원칙상 이를 수인할 의무가 있습니다. 그러나 수인한도를 넘는 층간소음이라면 원인유발자인 위층 입주자에게 불법행위에 따른 손해배상책임 또는 소음발생금지 가처분신청을 할 수 있을 것입니다. 또는 환경분쟁조정위원회에 분쟁조정신청을 통해 구제받을 수도 있을 것입니다.

또한 건축시행사 또는 분양회사에게는 공동주택이 쾌적한 생활을 유지하는 데 필요한 최소한도의 소음수준을 갖추지 못하게 건축된 것에 대한 책임을 물어 집합건물의 소유 및 관리에 관한 법률 제9조, 민법 제667조, 제671조에 따라 차음보수를 요청하거나, 보수에 상당하는 금액의 손해배상을 구할 수 있을 것입니다.

[별표] 층간소음의 기준(제3조 관련)

층간소음의 구분		층간소음의 기준[단위 : dB(A)]	
		주간 (06:00 ~ 22:00)	야간 (22:00 ~ 06:00)
1. 제2조 제1호에 따른 직접충격 소음	1분간 등가소음도(Leq)	43	38
	최고소음도(Lmax)	57	52
2. 제2조 제2호에 따른 공기전달 소음	5분간 등가소음도(Leq)	45	40

조용히 해달라고 요청하고 싶은데,
낮 시간이라도 가능한 건가요?

비고

1. 직접충격소음은 1분간 등가소음도(Leq) 및 최고소음도(Lmax)로 평가하고, 공기전달 소음은 5분간 등가소음도(Leq)로 평가한다.
2. 위 표의 기준에도 불구하고 「주택법」 제2조 제2호에 따른 공동주택으로서 「건축법」 제11조에 따라 건축허가를 받은 공동주택과 2005년 6월 30일 이전에 「주택법」 제16조에 따라 사업승인을 받은 공동주택의 직접충격 소음 기준에 대해서는 위 표 제1호에 따른 기준에 5dB(A)을 더한 값을 적용한다.
3. 층간소음의 측정방법은 「환경분야 시험ㆍ검사 등에 관한 법률」 제6조 제1항 제2호에 따라 환경부장관이 정하여 고시하는 소음ㆍ진동 관련 공정시험기준 중 동일 건물 내에서 사업장 소음을 측정하는 방법을 따르되, 1개 지점 이상에서 1시간 이상 측정하여야 한다.
4. 1분간 등가소음도(Leq) 및 5분간 등가소음도(Leq)는 비고 제3호에 따라 측정한 값 중 가장 높은 값으로 한다.
5. 최고소음도(Lmax)는 1시간에 3회 이상 초과할 경우 그 기준을 초과한 것으로 본다.

CASE 31

영재인 우리 아이, 초등학교에 일찍 입학시켜도 될까요?

STORY

어렸을 때부터 또래보다 뭐든 두각을 나타내는 준수. 준수 엄마는 자기 자식이라서가 아니라, 객관적으로 아들 준수가 영재라고 생각하고 있습니다. 그동안 각종 테스트에서 또래는 물론 형, 누나들까지 제치고 좋은 성적을 거두었고, 최근엔 모 방송국의 영재 관련 프로그램에까지 출연해 화제가 됐을 정도니까요!

뭐든 배우는 걸 좋아하는 준수는 오래전에 유치부 과정을 습득했고 주변 사람들과의 관계에서도 특별히 부족함이 없습니다.

같은 걸 반복하는 것도, 그리고 무작정 선행하는 것도 한계가 있을 뿐만 아니라, 그럴 일은 없겠지만, 혹시라도 나중에 대학 진학 및 취업 등에 어려움을 겪더라도 부담 없이 더 도전할 기회를 얻을 수도 있을 것 같아서, 준수 엄마는 준수를 초등학교에 조금 일찍 보낼 생각입니다. 준수의 조기입학, 가능한 건가요?

Advice : 만 6세가 되는 해에 입학할 수 있습니다.

해설

초등학교 입학 시기

모든 국민은 6년의 초등교육과 3년의 중등교육을 받을 권리가 있습니다. 초 · 중등교육법 제13조 제1항에 의하면 부모는 자녀가 6세가 된 날이 속하는 해의 다음해 3월 1일에 그 자녀를 초등학교에 입학시키도록 규정하고 있습니다. 그에 따라 대부분의 경우 7세가 되는 해에 초등학교에 입학하고 있는 것입니다. 다만, 같은 조 제2항에서는 자녀가 5세가 된 날이 속하는 해의 다음해 또는 7세가 된 날이 속하는 해의 다음 해에 그 자녀를 초등학교에 입학시킬 수 있다고 규정하고 있는 바, 자녀의 성장상태 및 교육상황 등에 따라 1년 일찍 또는 1년 늦게 초등학교에 입학시킬 수 있습니다.

초 · 중등교육법

제13조(취학의무) ① 모든 국민은 보호하는 자녀 또는 아동이 6세가 된 날이 속하는 해의 다음 해 3월 1일에 그 자녀 또는 아동을 초등학교에 입학시켜야 하고, 초등학교를 졸업할 때까지 다니게 하여야 한다.

② 모든 국민은 제1항에도 불구하고 그가 보호하는 자녀 또는 아동이 5세가 된 날이 속하는 해의 다음 해 또는 7세가 된 날이 속하는 해의 다음 해에 그 자녀 또는 아동을 초등학교에 입학시킬 수 있다. 이 경우에도 그 자녀 또는 아동이 초등학교에 입학한 해의 3월 1일부터 졸업할 때까지 초등학교에 다니게 하여야 한다.

③ 모든 국민은 보호하는 자녀 또는 아동이 초등학교를 졸업한 학년의 다음 학년 초에 그 자녀 또는 아동을 중학교에 입학시켜야 하고, 중학교를 졸업할 때까지 다니게 하여야 한다.

④ 제1항부터 제3항까지의 규정에 따른 취학의무의 이행과 이행 독려 등에 필요한 사항은 대통령령으로 정한다.

CASE 32

업체의 파산과 함께 날아간 아이의 돌 사진, 어떻게 돌려받을까요?

STORY

예원 씨는 첫 아이인 딸 유리의 돌잔치를 하지 않기로 했습니다. 1년 동안 잘 자라준 유리와 함께 많은 사람들의 축하를 받고 싶은 마음은 절실했지만, 그보다는 예원 씨 부부와 딸 유리, 세 식구가 함께할 추억을 만들고 싶었습니다. 그래서 남편과의 의논 끝에, 첫 가족여행과 함께 예쁜 돌 사진을 찍기로 결정했습니다.

예원 씨는 괜찮은 돌 사진업체를 알아보던 중 엄마들 사이에서 유명한 A업체를 알게 되어, 유리의 돌 사진 촬영을 무사히 마쳤습니다. 그 후, 하루라도 빨리 유리와 함께한 가족사진이 도착할 날만을 손꼽아 기다리고 있었는데요. 얼마 후 청천벽력 같은 소식을 접하게 됩니다. 돌 사진을 찍은 A업체가 파산 신청을 했다는 TV 뉴스 보도였습니다.

며칠 전 업체와 통화할 때만 해도 아무런 기미가 없었기에 예원 씨는 믿을 수 없었습니다. 연락이 안 돼 직접 A업체로 찾아가 보았지만, 이미 직원들은 잠적한 후였습니다.

돌잔치도 마다하고, 유리와 함께 찍은 가족사진에 모든 의미를 부여했던 예원 씨. 촬영비를 돌려받을 수 있을까요? 아니, 촬영비를 돌려받는 것은 고사하고 유리의 돌 사진만이라도 받을 수 있는 방법은 없는 걸까요?

Advice : 계약의 이행을 청구하거나 비용반환을 청구할 수 있습니다.

해설

파산의 정의

파산이란 채무자가 자신의 모든 재산으로도 채무를 변제할 수 없는 지급불능 상태에 빠지게 된 상태를 말합니다. 채무자 회생 및 파산에 관한 법률(이하 '파산법'이라 합니다)에서는 채권자 또는 채무자의 신청으로 파산절차에 들어간 채무자의 재산을 채권자들에게 공정하게 환가, 배당하고 파산절차의 신속한 해결을 위해 여러 특칙을 두고 있습니다.

쌍방미이행채무의 경우

파산법 제335조에서는 『① 쌍무계약에 관하여 채무자 및 그 상대방이 모두 파산선고 당시 아직 이행을 완료하지 아니한 때에는 파산관재인은 계약을 해제 또는 해지하거나 채무자의 채무를 이행하고 상대방의 채무이행을 청구할 수 있다. ② 제1항의 경우 상대방은 파산관재인에 대하여 상당한 기간을 정하여 그 기간 안에 계약의 해제 또는 해지나 이행 여부를 확답할 것을 최고할 수 있다. 이 경우 파산관재인이 그 기간 안에 확답을 하지 아니한 때에는 계약을 해제 또는 해지한 것으로 본다』고 규정하여 파산관재인이 계약을 해제하거나 이행할 것을 선택할 수 있고, 상대방도 파산관재인에게 그러한 행위의 여부를 최고할 수 있도록 하고 있습니다.

사례에서 예원 씨가 업체에 계약금만 지급하고 사진 촬영을 마친 상태에서 업체가 도산한 경우라면, 예원 씨는 잔금을 미지급한 것이고, 업체는 사진 제작을 마치지 아니한 것으로 쌍방미이행 상태에 있는 것이므로 예원 씨는 파산관재인을 상대로 상당한 기간을 정하여 위 계약의 해제나 기존 계약의 이행 여부를 확답할 것을 물어볼 수 있을 것이고, 그 기간 내에 확답을 하지 아니한 때에는 계약을 해지한 것으로 보고 기지급한 촬영비, 제작비의 반환을 구할 수 있습니다. 만약 파산관재인이 해제를 하지 않고 이행을 하겠다고 한다면 예원 씨는 사진 파일의 인도 및 앨범제작을 요청할 수도 있을 것입니다.

대금지급을 완료한 경우

파산법 제341조에서는 『① 채무자가 도급계약에 의하여 일을 하여야 하는 의무가 있는 때에는 파산관재인은 필요한 재료를 제공하여 채무자로 하여금 그 일을 하게 할 수 있다. 이 경우 그 일이 채무자 자신이 함을 필요로 하지 아니하는 때에는 제3자로 하여금 이를 하게 할 수 있다. ② 제1항의 경우 채무자가 그 상대방으로부터 받을 보수는 파산재단에 속한다』고 규정하고 있습니다. 즉 예원 씨가 이미 대금 전액을 지급하였다면 파산관재인은 사진촬영 및 앨범제작 계약을 해제할 수는 없는 것이고, 업체 측의 사진 파일 인도 및 앨범제작 의무는 그대로 남아 있는 것입니다.

따라서 예원 씨는 파산관재인을 통해 업체에서 사진 파일을 인도하고 앨범제작을 완료해달라고 요청할 수 있을 것입니다.

CASE 33

수족구병에 걸린 아이, 유치원에 갈 수 없을까요?

STORY

네 살인 가인이는 어린이집에 잘 다니고 있습니다. 그러던 어느 날, 저녁 내내 잘 놀던 가인이가 잠들기 직전부터 열이 나기 시작하더니 다음날 아침, 아침을 먹는 것도 짜증스러워 합니다. 웬만해서 먹는 걸 마다하는 가인이가 아니었기에 가인 엄마는 출근을 늦추고 병원에 갔습니다.

가인이를 진찰하던 의사가 가인 엄마에게 손가락 끝과 입 안의 좁쌀만 한 물집을 보여주면서, 가인이가 수족구병에 걸렸으니 어린이집에 보내면 안 된다고 했습니다.

워킹맘인 가인 엄마는 눈앞이 깜깜했지만, 도리가 없어 급히 휴가를 쓰고 집에서 처방받은 약을 챙겨 먹이며 가인이를 돌보았습니다. 다행이

3일째가 되자, 40도에 육박하던 가인이의 열도 뚝 떨어지고 물집도 서서히 잡혀가는 것을 본 가인 엄마는 가인이를 어린이집에 보내고 출근했습니다.

그런데 주위 친구 중 한 명이 아이가 수족구병에 걸렸을 경우는 완치되었다는 의사 확인서 없이는 어린이집에 보내서는 안 된다고 말하며, 아이를 다시 집으로 데려와야 한다고 말해주었습니다.

회사 일도 급했고, 또 그런 세세한 상황까지는 미처 알지 못했던 가인 엄마. 만약 가인이가 다니는 어린이집에서 다른 아이가 수족구병에 걸릴 경우, 어떤 문제가 생길 수 있는 것인가요?

Advice : 해설을 참조하세요.

해설

감염방지를 위한 자가격리

수족구는 감염병의 예방 및 관리에 관한 법률(이하 '감염병예방법'이라 합니다) 제2조 제7호, 보건복지부고시 제2016-78호(지정감염병 등의 종류)*에서 규정하고 있는 '지정감염병'의 하나입니다. 감염병예방법 제4조에서는 감염병의 발생과 유행을 방지하고 예방과 관리를 위해 국가 및 지방자치단체에게 감염병의 예방 및 방역대책, 감염병 환자 등의 진료 및 보호, 감염병 예방을 위한 예방접종계획의 수립 및 시행, 감염병에 대한 교육 및 홍보, 감염병에 관한 정보의 수집, 분석 및 제공, 의료기관과의 감염병의 발생 감시, 예방을 위한 정보 공유 등의 의무를 부과하고 있습니다. 이에 대응하여 국민은 국가나 지방자치단체에 감염병 발생상황, 감염병 예방 및 관리 등에 대한 정보와 대응방법을 요청할 수 있으며, 감염병에 감염된 경우 의료기관에서 감염병에 대한 진단 및 치료받을 권리가 있습니다(동법 제6조 제2, 3항).

감염병예방법 제6조에서는 감염병에 걸린 국민에게 치료 및 격리조치 등 국가와 지방자치단체의 감염병 예방 및 관리 활동에 협조하도록 의무를 부과하고 있습니다. 또한 감염병예방법 제41조 제3항에서는 『보건복지부장관, 시 · 도지사 또는 시장 · 군수 · 구청장은 감염병관리기관에 입원치료 대상자가 아닌 사람(예 : 수족구 환자)이나

* **「감염병의 예방 및 관리에 관한 법률」 제2조 제7호에 따른 지정감염병의 종류** : 가. C형간염, 나. 수족구병, 다. 임질, 라. 클라미디아 감염증, 마. 연성하감, 바. 성기단순포진, 사. 첨규콘딜롬, 아. 반코마이신내성황색포도알균(VRSA) 감염증, 자. 반코마이신내성장알균(VRE) 감염증, 차. 메티실린내성황색포도알균(MRSA) 감염증, 카. 다제내성녹농균(MRPA) 감염증, 타. 다제내성아시네토박터바우마니균(MRAB) 감염증, 파. 카바페넴내성장내세균속균종(CRE) 감염증, 하. 장관감염증, 거. 급성호흡기감염증, 너. 해외유입기생충감염증, 더. 엔테로바이러스 감염증

수족구병에 걸린 아이,
의사의 완치 확인 진단서 없이
등원해도 될까요?

감염병 환자 등과 접촉하여 감염병이 감염되거나 전파될 우려가 있는 사람(소아)의 경우 자가(自家) 또는 감염병관리시설에서 치료하게 할 수 있다』고 규정하고 있습니다.*

자가격리 위반 시 책임

감염병예방법에 따라 아이가 수족구병에 걸렸다면 국가나 지방자치단체장으로부터 자가격리처분을 받을 수 있고, 그 경우에는 다른 사람에게 전파 방지를 위해 이를 수용할 의무가 있는 것입니다. 만약 자가격리처분이 있었음에도 이를 위반하는 경우에는 감염병예방법 제80조 제2호에 따라 300만 원 이하의 벌금에 처해질 수 있습니다.

그러나 수족구병의 경우 치료받는 병원에서 자가격리를 하도록 안내만 하고 있을 뿐이고, 어린이 환자에게 자가격리 치료하도록 실제 처분을 하는 경우는 없기에 외출에 크게 지장이 없는 것입니다.

위 사례에서 가인이 엄마는 수족구병에 걸린 가인이의 상태가 호전되자 다 나았을 것이라고 생각하고 가인이를 어린이집에 보낸 것

* 이러한 국가나 지방자치단체장의 자가격리치료 처분은 감염병 전파방지라는 급박한 행정목적의 실현을 위해 국민의 신체, 재산에 실력을 가하는 권력적 사실행위로서 법관의 영장이 없다 하더라도 영장주의에 위배되는 것이 아닙니다.

입니다. 수족구병과 같은 감염병은 완전히 병이 낫기 전에는 외부와의 접촉을 삼가야만 이차, 삼차 감염을 방지할 수 있는 바, 국가 및 지방자치단체에서는 의사의 수족구병 완치확인서 등을 받아야만 어린이집에 등원할 수 있도록 지도하고 있는 실정입니다.

그런데 가인이 엄마는 이러한 절차가 귀찮다는 이유로 수족구병에 걸린 것을 숨기고 어린이집을 보내지 않고 자가격리 치료하다가 증상이 호전되자 의사의 확인서 없이 어린이집에 가인이를 등원시켰다가 다른 아이들이 수족구에 감염되도록 한 것입니다. 이러한 가인이 엄마의 행동은 그로 인해 다른 아이들이 수족구에 걸릴 수도 있다는 것을 인식하고 한 행위로 과실치상죄(형법 제266조 제1항)*의 간접정범**이 성립할 수 있습니다.***

* **형법 제266조(과실치상)** 과실로 인하여 사람을 상해에 이르게 한 자는 500만 원 이하의 벌금, 구류 또는 과료에 처한다.

** **형법 제34조(간접정범)** ① 어느 행위로 인하여 처벌되지 아니하는 자 또는 과실범으로 처벌되는 자를 교사 또는 방조하여 범죄행위의 결과를 발생하게 한 자는 교사 또는 방조의 예에 의하여 처벌한다.

*** 수족구에 걸릴 수도 있다는 것을 인식하고 용인까지 하였다면 상해죄의 간접정범이 성립할 수 있습니다.

CASE 34

교육관이 다른 부부, 아이는 누구의 말을 들어야 할까요?

STORY

이제 일곱 살이 되는 승유. 현재 승유는 아빠 회사에서 운영하는 직장 어린이집에 다니고 있습니다. 그런데 갑자기 승유 엄마가 잘 다니던 어린이집을 두고, 한 달 등록금이 150만 원이나 하는 유명한 영어유치원으로 승유를 옮기려 합니다. 어릴 때 원어민으로부터 영어 몰입 교육을 받아야 영어를 공부가 아닌 언어로 받아들일 수 있다는 이유로 말입니다. 그래야 원어민에 가까운 발음을 구사할 수 있는 것은 물론, 그들의 문화까지 이해할 수 있다는 것이지요.

하지만 승유 아빠의 생각은 전혀 다릅니다. 어릴 때 건강하게 뛰어노는 것이야말로 최고의 교육이며 그런 교육은 지금 어린이집에서도 충분하기에, 친한 친구들이 많은 기존의 어린이집에 그냥 다니기를 원합니다. 누구 하나 절대 양보할 생각이 없는 승유의 부모. 이런 경우, 승유는 누구 말을 들어야 하는 건가요?

Advice : 부모 협의가 안 될 경우 법원이 결정합니다.

해설

친권자의 결정

미성년자에 대한 어버이의 권리를 친권이라고 합니다. 그러나 이는 어버이의 개인적 이익을 위한 권리가 아니라 자의 복리를 위하여, 그를 보호 · 교양할 수 있는 의무적 성격의 권리인 것입니다. 그리하여 민법 제913조도 『친권자는 자를 보호하고 교양할 권리의무가 있다』고 규정하고 있는 것입니다.

위 사례에서 승유 엄마는 승유의 조기 영어교육을 위해 승유 아빠와 상의 없이 일방적으로 영어유치원을 등록하여 승유를 영어유치원에 보내려 하고 있는 것이고, 승유 아빠는 현 시점에서는 건강하게 뛰어노는 것이 중요하고 과한 영어교육은 필요치 않으므로 기존 일반 유치원에서의 교육으로도 충분하다고 생각하여 기존 유치원에 보내려고 하고 있는 것입니다.

이렇게 자의 인격, 정신 발달을 위해 교육하는 것뿐만 아니라 교육 방법, 수단을 지정하는 것 역시 친권의 내용인 것인데, 일반적으로 부모는 친권을 행사함에 있어 의견 합치를 이루어 공동으로 이를 행사합니다. 그런데 위 사례와 같이 부모의 의견이 합치되지 아니하고 서로 상반된 내용으로 친권을 행사하려고 할 경우, 자는 누구의 친권에 복종해야 하는지가 문제인 것입니다. 이에 관하여 우리 민법은 친권을 행사하는 부모의 의견이 일치하지 아니하는 경우에는 당사자(부 또는 모 일방)의 청구에 의하여 가정법원이 이를 정한다고 규정하고 있습니다(민법 제909조 제2항). 따라서 의견일치가 되지 않는다면 결국에는 승유 엄마 또는 아빠가 가정법원에 친권행사 방법의 결정을 청구할 수 있고, 가정법원은 자의 복리를 최우선적으로 고려하여 친권행사 방법을 결정할 것입니다(민법 제912조 제2항).

CASE 35

입양한 아이의 성, 양아버지의 성으로 바꿀 수 있을까요?

STORY

이호영 씨와 박수빈 씨는 결혼한 지 10년이 지났지만, 아직 아이가 없습니다. 물론 신혼 때는 둘만의 시간을 만끽하고자 아이 욕심이 없었습니다. 하지만 결혼하고 2~3년이 지난 후부터는 아이를 갖기 위해 애썼지만 잘 되지 않았습니다. 그래서 호영 씨와 수빈 씨는 오랜 고민 끝에 입양을 하기로 결심했습니다. 호영 씨와 수빈 씨는 입양센터에서 봉사활동을 하면서 자연스럽게 아이와의 인연이 찾아오길 기다리기로 했습니다.

그러던 어느 평범한 날, 호영 씨 부부는 문득 한 아이가 자신들의 마음 한가운데에 자리 잡고 있다는 걸 깨달았습니다. 아이 이름은 김지아.

부부는 지아를 입양하기로 마음먹고 법적 절차를 밟았는데요, 지아의 성이 호영 씨의 성과 다르다는 게 아무래도 마음에 걸렸습니다. 본인들은 괜찮지만, 나중에 친구들로부터 부모 자식 간에 성이 다른 걸 가지고 놀림을 받을 수도 있겠다는 생각이 들었기 때문입니다. 지아의 성을 호영 씨의 성인 '이'씨로 바꿀 수 있을까요?

Advice : 친양자제도를 이용해 성을 바꿀 수 있습니다.

해설

일반양자와 친양자의 차이

입양은 양친자관계를 형성하려는 당사자 간의 합의입니다. 입양은 가족관계의 등록 등에 관한 법률에서 정한 바에 따라 신고함으로써 입양의 효력이 발생하는데, 입양신고에 의해 양자는 양부모와 법정혈족관계가 발생하게 되어 양부모의 친생자와 같은 지위를 갖게 됩니다. 그러나 양부모와 법정혈족관계가 발생한다고 하여 친생부모와의 친족관계가 단절되는 것은 아니며, 양자의 성이 변경되지도 아니합니다.

호영 씨가 양자의 성을 양부의 성을 따르도록 하기 위해서는 민법에서 새로 도입한 친양자제도를 이용하면 됩니다. 친양자는 부부의 혼인 중 출생자 지위를 가지며, 친양자의 입양 전 친족관계는 친양자 입양이 확정된 때 종료하게 됩니다. 다만 부부의 일방이 그 배우자의 친생자를 단독으로 입양한 경우에 있어서의 배우자 및 그 친족과 친생자 간의 친족관계는 그대로 존속하게 됩니다(민법 제908조의3).

따라서 호영 씨가 일반 양자가 아닌 친양자를 삼는다면 친양자와 기존 친생부모와의 친족관계는 친양자 입양 확정 시 종료되고 그에 따라 친양자는 양부인 호영 씨의 성을 따를 수 있는 것입니다. 다만 친양자는 일반 입양에 비해 그 요건이 더 엄격한 바, 민법 제781조 제6항에 따라 양자의 복리를 위하여 필요한 경우 자의 성과 본을 변경할 수도 있을 것입니다.

민법

제908조의2(친양자 입양의 요건 등) ① 친양자(親養子)를 입양하려는 사람은 다음 각 호의 요건을 갖추어 가정법원에 친양자 입양을 청구하여야 한다.

1. 3년 이상 혼인 중인 부부로서 공동으로 입양할 것. 다만, 1년 이상 혼인 중인 부부의 한쪽이 그 배우자의 친생자를 친양자로 하는 경우에는 그러하지 아니하다.
2. 친양자가 될 사람이 미성년자일 것
3. 친양자가 될 사람의 친생부모가 친양자 입양에 동의할 것. 다만, 부모가 친권상

실의 선고를 받거나 소재를 알 수 없거나 그 밖의 사유로 동의할 수 없는 경우에는 그러하지 아니하다.

4. 친양자가 될 사람이 13세 이상인 경우에는 법정대리인의 동의를 받아 입양을 승낙할 것

5. 친양자가 될 사람이 13세 미만인 경우에는 법정대리인이 그를 갈음하여 입양을 승낙할 것

② 가정법원은 다음 각 호의 어느 하나에 해당하는 경우에는 제1항 제3호 · 제4호에 따른 동의 또는 같은 항 제5호에 따른 승낙이 없어도 제1항의 청구를 인용할 수 있다. 이 경우 가정법원은 동의권자 또는 승낙권자를 심문하여야 한다.

1. 법정대리인이 정당한 이유 없이 동의 또는 승낙을 거부하는 경우. 다만, 법정대리인이 친권자인 경우에는 제2호 또는 제3호의 사유가 있어야 한다.

2. 친생부모가 자신에게 책임이 있는 사유로 3년 이상 자녀에 대한 부양의무를 이행하지 아니하고 면접교섭을 하지 아니한 경우

3. 친생부모가 자녀를 학대 또는 유기하거나 그 밖에 자녀의 복리를 현저히 해친 경우

③ 가정법원은 친양자가 될 사람의 복리를 위하여 그 양육상황, 친양자 입양의 동기, 양부모의 양육능력, 그 밖의 사정을 고려하여 친양자 입양이 적당하지 아니하다고 인정하는 경우에는 제1항의 청구를 기각할 수 있다.

CASE 36

배달 오토바이와 어린아이와의 사고, 누구 책임이 더 큰가요?

STORY

네 살배기 정민이는 어린이집에서 하원한 후 집에 가는 길에 항상 동네의 큰 놀이터에 가자고 엄마를 조릅니다. 하지만 정민 엄마는 저녁식사 시간대라 오토바이 배달원이 놀이터 근처로 많이 다니는 이 시간에 정민이가 놀이터에 있는 것이 불안하기만 합니다.

그날도 정민 엄마는 놀이터 벤치에 앉아 뛰어노는 정민이를 지켜보고 있었습니다. 한참을 놀다가 배고프다고 온 정민이에게 빵과 주스를 건네던 정민 엄마는 실수로 자신의 옷에 주스를 엎질렀습니다. 정민이에게 간식을 먹고 있으라 하고 옷을 닦으러 화장실로 가고 있는데, 갑자기 오토바이 타이어 끌리는 소리와 함께 아이의 비명소리가 들려왔습니다.

민 엄마가 소리 나는 쪽을 보니, 조금 전까지 간식을 먹던 정민이가 오토바이와 부딪혀 쓰러져 있었습니다. 정말 눈 깜짝할 사이, 어디선가 날아온 풍선을 쫓아 인도로 나가던 정민이가 배달 오토바이와 부딪힌 것입니다. 배달원이 최단거리로 가기 위해 습관적으로 도로가 아닌 인도를 가로지른 것이 화근이었습니다.

정민이가 큰 부상을 당하지 않아 천만다행이지만, 너무 놀라고 화가 난 정민 엄마는 배달원에게 책임을 물으려 합니다. 가능할 건가요?

Advice : 배달원이 민 · 형사상 책임을 집니다.

해설

인도를 통행한 오토바이 배달원의 민 · 형사상 책임

도로교통법상 오토바이는 차에 해당하므로 차도로 통행하는 것이 원칙입니다. 도로 외의 곳으로 출입을 할 때에는 보도를 횡단하여 통행할 수는 있으나 그 경우에도 보도를 횡단하기 직전에 일시정지해 좌측과 우측 부분 등을 살핀 후 보행자의 통행을 방해하지 아니하도록 횡단해야 하는 것입니다(도로교통법 제13조 제1항, 제2항). 아파트 놀이터와 인접해 있는 인도는 원칙적으로 오토바이가 통행해서는 안 되는 곳임에도 배달원은 배달 거리 및 시간 단축을 위해 인도를 가로질러 다닌 것으로 이는 도로교통법 제156조 제1항, 제13조 제1, 2항 위반(20만 원 이하의 벌금, 구류, 과료)일 뿐만 아니라 그로 인해 정민이가 다쳤는 바 형법 제268조의 업무상과실치상죄(5년 이하의 금고 또는 2,000만 원 이하의 벌금)가 성립합니다.

또한 민사적으로도 배달원에게는 놀이터와 인접해 있는 인도의 경우 항시 아이들이 뛰어 나올 수 있다는 것을 예측할 수 있고, 사고가 나지 않게 주의하여 운전할 주의의무가 있는 것인 바, 이를 해태하여 정민이를 다치게 한 것이므로 불법행위에 기한 손해배상책임이 있는 것입니다.

아이 부모의 감독 · 지도 의무 위반 여부

일반적으로 부모에게는 미성년 자녀 생활 전반에 대한 감독, 지도 의무가 있고, 도로교통법 제11조(어린이 등에 대한 보호) 제1항에서는 『어린이의 보호자는 교통이 빈번한 도로에서 어린이를 놀게 하여서는 아니되며, 영유아(6세 미만인 사람을 말한다. 이하 같다)의 보호자는 교통이 빈번한 도로에서 영유아가 혼자 보행하게 하여서는 아니된다』고 규정하고 있어 지원이가 놀이터에서 인도로 뛰어나가는 것을 제대로 감독하지 못한 정민이 엄마에게 일정 부분 책임이 있지 않나 의문이 들 수 있습니다. 그러나 아파트 내 인도는 도로교통법상 도로에 해당하지 아니하고 배달 오토바이가 불법적으로 통행을 하는 것에 대해서까지 예측하여 정민이를 감독, 지도할 의무가 있다고 할 수는 없기 때문에 정민이 엄마가 잠시 한눈을 팔았다 하더라도 과실상계될 여지는 없어 보입니다.

2장

우리 아이가 학교에 입학했어요

: 취학 후 아이 관련 법률 상식 :

CASE 37

돈이 없는 줄 모르고 식당에서 먹은 밥, 고의가 아닌데도 죄가 될까요?

STORY

오늘 성민이는 기분이 아주 좋았습니다. 수학경시대회에서 금상을 받았기 때문입니다. 덩달아 기분이 좋아진 성민이의 부모님은 성민이가 상을 탄 선물로 아들의 소원을 하나 들어주겠다고 말했습니다. 그랬더니 성민이는 특별한 날이니만큼 이태원의 고급 레스토랑에 가고 싶다고 말했습니다.

간만에 고급 레스토랑에 온 성민이 가족은 원풀이하듯 특별코스 요리를 주문해 푸짐하게 한 상 차려놓고 맛있게 먹었습니다. 상도 타고 맛있는 것도 잔뜩 먹은 덕분에 기분이 한껏 좋은 성민이 가족. 그런데 계산을 하려던 성민이 아빠의 얼굴이 갑자기 굳어졌습니다. 아무리 찾아도 지갑이 없는 걸 보니, 아무래도 집에다 놓고 온 모양입니다.

1) 성민이 아빠는 레스토랑 직원에게 사정 이야기를 하고 집에 가서 지갑을 가져오는 대로 바로 지불하겠다고 말했지만, 직원은 성민이 아버지가 꼭 돌아온다는 보장을 할 수 없기에, 무전취식으로 고소할 수밖에 없다고 합니다. 일부러 돈을 안 내는 것도 아닌데, 죄가 되나요?

2) 다짜고짜 무전취식이라며 고소하겠다는 직원을 보자니, 어이가 없는 성민이 아빠. 말로 설득될 것 같지 않아 얼른 집에 가서 지갑을 가져오려고 직원이 다른 테이블을 계산하는 동안, 몰래 가족들을 데리고 나가다가 들키고 말았습니다. 막상 잡히고 보니 일이 어떻게 진행될지 걱정스러운 성민이 아빠는 자기도 모르게 직원을 밀치고 도망을 가버렸는데요. 한참 줄행랑을 치다 보니 이렇게 해서는 안 된다는 생각이 들었습니다. 이제 성민이 아빠는 어떻게 해야 하나요? 그리고 만약 처벌을 받는다면 무슨 죄로 처벌을 받게 되는 건가요?

Advice : 1) 무죄입니다.
2) 강도죄로 처벌 받습니다.

해설

무전취식의 고의가 없는 경우 사기죄 성립 안 함

물건을 사러 갔다가 지갑을 안 가져온 것을 알게 된 경우에는 물건을 반납하고 그냥 돌아오면 됩니다. 그런데 위 사례와 같이 이미 음식을 먹어버린 경우에는 반납할 물건이 없는 상황이 됩니다. 이와 같이 돈 없이 음식을 먹은 경우를 '무전취식(無錢取食)'이라고 합니다.

돈이 없음을 알면서 의도적으로 음식을 시켜먹은 경우에는 사람을 기망하여 재물의 교부를 받은 경우에 해당하여 사기죄가 성립합니다(형법 제347조 제1항). 그러나 위 사례와 같이 지갑을 가지고 나온 줄 알고 음식을 시켜 먹은 후 계산하려고 할 때 지갑이 없다는 것을 알게 된 경우에는 사기의 고의가 없었던 것이므로 사기죄가 성립하지 아니하는 것입니다. 이 경우 성민이 아빠는 단지 돈이 없어서 음식 값을 지불할 수 없는 상태에 있는 것(채무불이행)으로 추후 음식 값을 지불하면 됩니다.

직원의 제지에 폭력을 행사한 경우에는 강도죄

만약 무전취식한 사실을 식사를 끝낸 후에야 알고 당황하여 몰래 도망치려 하던 중 직원에게 발각되었고, 직원이 붙잡았음에도 직원을 밀치고 도망칠 경우에는 채무를 면탈하기 위해 폭력을 행사한 것이 되어 강도죄가 성립할 수도 있습니다.

따라서 지갑을 안 가져왔다 하더라도 도망치거나 직원에게 폭력을 행사하여서는 절대 아니되며, 직원에게 그러한 사실을 알리고 추후 변제하면 될 것입니다.

형법

제347조(사기) ① 사람을 기망하여 재물의 교부를 받거나 재산상의 이익을 취득한 자는 10년 이하의 징역 또는 2,000만 원 이하의 벌금에 처한다.

② 전항의 방법으로 제3자로 하여금 재물의 교부를 받게 하거나 재산상의 이익을 취득하게 한 때에도 전항의 형과 같다.

제333조(강도) 폭행 또는 협박으로 타인의 재물을 강취하거나 기타 재산상의 이익을 취득하거나 제3자로 하여금 이를 취득하게 한 자는 3년 이상의 유기징역에 처한다.

CASE 38

어린아이가 잘못된 판단으로 사용해버린 돈, 환불받을 수 있을까요?

STORY

초등학교 3학년생인 지호. '학부모를 위한 교육' 강연을 듣고 온 지호 엄마는 초등학교 3학년 때부터 아이에게 경제 교육이 필요하다는 사실과 쉽고 재미있는 경제 교육법으로 용돈을 주는 것이 효율적이라는 사실을 배우고 왔습니다. 지호 엄마는 아들 지호에게 용돈을 주며 용돈제를 시행하기로 했고, 얼마 전부터 아이에게 용돈을 주기 시작했습니다.

1) 그런데 요즘 지호 친구들 사이에 선풍적인 인기를 얻고 있는 포켓몬스터 카드를 갖고 싶었던 지호는 심부름을 해서 모은 용돈으로 혼자 문방구에서 포켓몬스터 3박스, 3만 원어치를 샀다가 엄마에게 허락도 없

이 장난감을 샀다고 혼이 났습니다. 1박스도 아니고, 무려 포켓몬 3박스를 산 지호에게 화가 난 엄마는 장난감을 환불하려고 하는데, 가능한가요?

2) 지호는 엄마가 저녁 준비를 하는 동안 아파트 상가에 있는 마트에서 우유를 사오라는 심부름을 하게 되었습니다. 그래서 엄마에게 받은 돈을 들고 상가 마트로 향하는데, 가는 길목에 있는 놀이터에서 친구들을 만났습니다. 비싸 보이는 장난감 하나씩을 죄다 들고 자랑하며 놀고 있는 친구들. 아이들이 지호에게 새로 산 장난감이 없냐고 묻자, 자존심도 상하고 부럽기도 했던 지호는 순간적인 충동을 이기지 못하고 그만 엄마에게 받은 돈으로 문방구에서 장난감을 샀습니다. 우유 대신 장난감을 들고 집으로 돌아온 지호. 엄마는 지호 손에 들린 장난감을 보자마자 문방구로 달려가 환불을 요청하는데요, 과연 환불을 받을 수 있을까요?

Advice : 1) 환불할 수 없습니다.
2) 환불할 수 있습니다.

우유 대신 장난감을 들고 집으로 돌아온 지호.
과연 환불을 받을 수 있을까요?

해설

미성년자의 법률행위

만 19세에 이르지 아니한 자를 미성년자라고 하며(민법 제4조), 미성년자의 경우 법률행위를 함에 있어 법정대리인(부, 모)의 동의를 얻도록 하고 있으며. 동의 없이 한 미성년자의 법률행위는 취소할 수 있도록 규정하고 있습니다(민법 제4조, 제5조). 미성년자의 (법률)행위능력을 위와 같이 제한하고 있는 이유는 미성년자의 경우 아직 판단능력이 떨어지기 때문에 불합리한 법률행위를 할 우려가 있기에 이를 방지하고 미성년자를 보호해주기 위한 것입니다.

용돈으로 장난감을 산 경우

그런데 권리만을 얻거나(증여를 받는 경우) 의무만을 면하는 경우(채무면제)에는 미성년자에게 불리한 것이 없기 때문에 법정대리인의 동의가 없더라도 단독으로 할 수 있습니다(민법 제5조 제1항 단서). 또한 법정대리인이 범위를 정하여 처분을 허락한 재산은 미성년자가 임의로 처분할 수 있습니다(민법 제6조).

따라서 위 사례와 같이 지호가 심부름을 하여 모은 용돈의 경우,

이미 지호의 부모가 아이에게 임의 사용을 허락한 것으로 볼 수 있는 것이므로 지호가 엄마의 허락 없이 장난감을 사왔다 하더라도 이를 취소(환불)할 수는 없는 것입니다.

심부름 시킨 돈으로 장난감을 산 경우

지호에게 우유를 사 오라고 준 돈의 경우, 처분을 허락한 재산이 아니라 대리권을 부여한 것에 불과하다 할 것이므로 지호가 우유를 살 돈으로 장난감을 사 온 경우에는 법정대리인의 동의가 없음을 이유로 취소할 수 있을 것입니다.

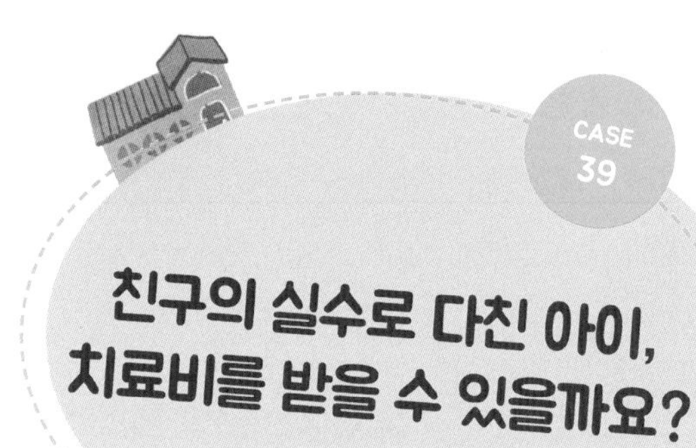

친구의 실수로 다친 아이, 치료비를 받을 수 있을까요?

STORY

유치원을 다닐 때부터 단짝 친구로 지내고 있는 여덟 살 지민이와 병관이. 언제나처럼 하교 후, 아파트 놀이터에서 만난 둘은 신나게 술래잡기 놀이를 했습니다.

그런데 체구가 작고 날렵한 지민이에 비해 덩치도 크고 달리기가 느린 병관이가 매번 술래만 하게 되자, 병관이는 꼭 한 번 지민이를 잡겠다는 욕심에 있는 힘껏 지민이를 향해 달렸습니다. 그러자 급하게 도망치던 지민이가 커다란 돌멩이를 보지 못하고 넘어졌습니다. 얼마나 심하게 넘어졌는지 지민이는 입고 있던 도톰한 타이즈에 커다란 구멍이 나다 못해 무릎이 깨져 검푸른 피멍이 들었습니다.

병관이와 병관이 엄마가 진심으로 사과를 하는 탓에 지민이 엄마는 쓰린 속을 애써 다독이며 집으로 돌아올 수밖에 없었습니다, 설상가상으로 병원 치료비도 만만치 않습니다. 잘 아는 사이고, 아이가 일부러 그런 것도 아니라, 병원비를 달라고 말하기가 애매한 상황입니다. 지민이 엄마는 이런 경우 치료비를 요구할 수 있는 건가요?

Advice : 치료비를 청구할 수 있습니다.

해설

불법행위책임 성립 여부

형사책임은 고의범의 경우에만 묻는 것이 원칙이나, 민사상 불법행위책임은 고의뿐만 아니라 과실의 경우에도 그 책임을 물을 수 있습니다. 술래잡기 놀이를 하다 다친 경우 고의는 아니지만 과실에 의해 상해를 입힌 것이므로 과실에 의한 불법행위가 성립합니다(민법 제751조).

그런데 친구들 간에 술래잡기 놀이를 하다가 다친 것은 사회상규에 반하지 않는 행위로 위법성이 조각되어 불법행위가 성립하지 않을 수 있습니다. 그러나 예상치 못한 큰 상처가 난 경우라면 위법성이 조각되지 아니할 것입니다.

부모의 책임

미성년자는 타인에게 손해를 가하였다 하더라도 그 행위의 책임을 변식할 능력이 없는 때에는 배상책임이 없습니다(민법 제753조). 그 경우에는 미성년자를 감독할 법정의무가 있는 자(부, 모)가 그 손해를 배상하도록 규정하고 있습니다(동법 제755조 제1항). 그렇다면 초등학생인 병관이가 불법행위에 대한 책임능력이 있는지가 문제가 되는 것인데, 대법원 판례에 의하면 대개 초등학생(만 14세)까지는 불법행위 책임능력이 없고, 중학생(만 15세)부터는 불법행위에 대한 책임을 변식할 지능이 있다고 보고 있습니다.

따라서 원칙적으로 병관이 부모가 치료비 상당을 배상할 책임이 있는 것입니다. 다만, 이 경우 지민이에게도 손해발생에 대해 일정 부분 책임을 물을 수 있는 과실이 있다면 과실상계 등에 의해 병관이 부모의 책임이 제한될 수 있을 것입니다.

민법

제750조(불법행위의 내용) 고의 또는 과실로 인한 위법행위로 타인에게 손해를 가한 자는 그 손해를 배상할 책임이 있다.

제751조(재산 이외의 손해의 배상) ① 타인의 신체, 자유 또는 명예를 해하거나 기타 정신상 고통을 가한 자는 재산 이외의 손해에 대하여도 배상할 책임이 있다.

② 법원은 전항의 손해배상을 정기금채무로 지급할 것을 명할 수 있고 그 이행을 확보하기 위하여 상당한 담보의 제공을 명할 수 있다.

CASE 40

잘 알아보지 않고 구입한 전집, 취소할 수 있을까요?

STORY

직장을 다니는 민서 엄마는 전업 주부만큼 아이에게 신경을 써주지 못하는 것을 항상 미안해하면서 지내고 있습니다. 그래서 어떻게든 시간을 쪼개어 민서 친구의 엄마들을 만나서 혹시나 자신이 놓치고 있는 정보가 있는지 점검하는 걸 위안으로 삼고 있습니다.

그런데 얼마 전 모임에서 민서 엄마는 논술 영재들 집에 하나씩 구비돼 있다는 모 출판사의 세계명작동화 전집 이야기를 들었습니다. 조급한 마음에 민서 엄마는 출판사 영업사원의 연락처를 얻어 바로 상담을 받은 후 세계명작동화 전집을 구입했습니다.

전집이 배달되기만을 기다린 민서 엄마. 마침내 책을 받아든 민서와 민서 엄마는 저녁 식사도 미루고 책을 살펴보았는데요, 전집의 절반은 이미 읽은 책이라는 민서의 말에 민서 엄마는 무척 당황스러웠습니다. 그제야 새로 산 전집과 집에 있는 책들을 비교해 보니, 민서 말대로 겹치는 게 많았습니다. 전집 값이 한두 푼도 아니고, 아무래도 환불받는 게 좋겠다고 판단한 민서 엄마, 책을 반품하고 환불을 할 수 있을까요?

Advice : 구입 후 14일 이내 취소할 수 있습니다.

해설

방문판매 등에 관한 법률상 철회권

소비자가 영업장소에 찾아가 물건을 구매하는 것이 아니라 판매자가 방문하여 물건을 구입한 경우에는 비교평가해 계약할 수 없는 방문판매의 특성상 소비자의 권익을 해할 수 있기에 방문판매 등에 관한 법률에서 여러 가지 보호장치를 두고 있습니다. 그 중 하나가 동법 제8조의 청약철회권으로, 『방문판매 또는 전화권유판매(이하 '방문판매 등'이라 한다)의 방법으로 재화 등의 구매에 관한 계약을 체결한 소비자는 소비자에게 책임이 있는 사유로 재화 등이 멸실되거나 훼손된 경우, 소비자가 재화 등을 사용하거나 일부 소비하여 그 가치가 현저히 낮아진 경우, 시간이 지남으로써 다시 판매하기 어려울 정도로 재화 등의 가치가 현저히 낮아진 경우, 복제할 수 있는 재화 등의 포장을 훼손한 경우, 그 밖에 거래의 안전을 위하여 대통령령으로 정하는 경우를 제외하고 계약서를 받은 날로부터 14일 (그 계약서를 받은 날보다 재화 등이 늦게 공급된 경우에는 재화 등을 공급받거나 공급이 시작된 날부터 14일) 이내에는 그 계약에 관한 청약철회 등을 할 수 있다』고 하여 사실상 무제한의 철회권을 보장하고 있습니다.

따라서 민서 엄마는 계약을 한 날로부터 14일 이내 또는 계약 후 책을 뒤늦게 받은 경우에는 책을 받은 날로부터 14일 이내에 무조건적으로 계약을 철회할 수 있는 것입니다.

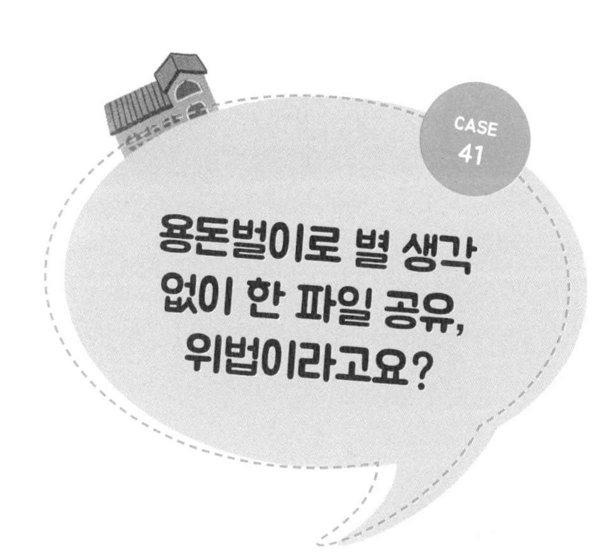

STORY

영화감독이 꿈인 중학생 성종이. 영화 보는 것이 즐겁기도 하고, 감독이 되려면 웬만한 영화는 다 섭렵해야 한다는 생각에 시간이 나는 대로 장르를 가리지 않고 영화를 보고 있습니다.

그런데 아무래도 학생이다 보니 용돈에도 한계가 있고, 영화감독이 되려는 자신의 꿈을 탐탁지 않게 여기는 엄마에게 손을 벌리기도 부담됩니다.

그러던 어느 날, 성종이의 이런 고민을 잘 아는 친구는 영화 파일을 웹하드에 공유하면 용돈벌이 정도는 할 수 있다는 정보를 알려주었습니다.

성종이는 힘든 아르바이트를 하지 않아도 돈을 벌 수 있다는 말에 혹하여 자신이 가지고 있는 최신 영화 파일들을 웹하드에 올려 다른 사람들과 공유하였습니다.

그런데 얼마 후, 성종이는 마른하늘에 날벼락처럼 경찰서에서 저작권 위반으로 조사를 받으러 오라는 연락을 받게 되었습니다. 불법인지 모르고 한 일인데도 성종이는 처벌을 받게 되는 건가요?

Advice : 저작권법위반죄 해당되어 처벌받을 수 있습니다.

해설

컴퓨터 영화파일은 저작권법 보호대상임

저작물은 인간의 사상 또는 감정을 표현한 창작물로 저작자의 노력의 결정체입니다. 저작자는 저작물을 창작한 때부터 저작권(저작인격권,* 저작재산권**)을 가지며, 저작물은 저작자의 동의나 허락 없이 이

* 공표권(제11조), 성명표시권(제12조), 동일성유지권(제13조).

** 복제권(제16조), 공연권(제17조), 공중송신권(제18조), 전시권(제19조), 배포권(제20조), 대여권(제21조), 2차적 저작물작성권(제22조).

불법인지 모르고 한 일인데도
성종이는 처벌을 받게 되는 건가요?

용하여서는 안 됩니다. 영화 파일은 영상저작물*에 속하는 바, 저작자에게 자신의 저작물을 배타적으로 공중 송신할 권리가 있는 것입니다(저작권법 제18조).

따라서 저작자의 동의나 허락 없이 성종이가 용돈벌이를 목적으로 저작물인 영화 파일을 웹하드에 올려 공유하는 것은 저작자의 공중 송신권을 침해하는 행위입니다.

영리목적 저작권법 위반 시 비친고죄

저작권법은 저작재산권 등 저작권법에 의하여 보호되는 재산적 권리를 복제, 공연, 공중송신, 전시, 배포, 대여, 2차적 저작물 작성의 방법으로 침해한 자는 5년 이하의 징역 또는 5,000만 원 이하의 벌금에 처하거나 이를 병과할 수 있도록 규정하고 있습니다(저작권법 제136조 제1항 제1호). 과거에는 이와 같은 저작권법위반죄를 피해자의 고소가 있어야 처벌하는 친고죄로 규정하고 있었으나, 2011년 12월 2일 개정을 통해 영리를 목적으로 또는 상습적으로 저작권법위반죄를 범한 경우에는 친고죄의 예외로 규정하여 영리를 목적으로 한 저

* **저작권법 제2조 제13호** "영상저작물"은 연속적인 영상(음의 수반 여부는 가리지 아니한다)이 수록된 창작물로서 그 영상을 기계 또는 전자장치에 의하여 재생하여 볼 수 있거나 보고 들을 수 있는 것을 말한다.

작권법위반죄를 처벌하고 있습니다(동법 제140조 제1호).

성종이의 경우, 용돈벌이라는 영리를 목적으로 영화 파일을 공유해 저작자의 공중송신권을 침해한 것이므로 저작자의 고소가 없더라도 경찰에서 조사해 처벌할 수 있는 것입니다. 단, 형사미성년자의 경우 책임이 조각되어 처벌할 수 없는 것이고, 소년의 경우에는 소년법에 따라 처리되거나 초범이라면 기소유예될 가능성이 높다 할 것입니다.

저작권법

제136조(벌칙) ① 다음 각 호의 어느 하나에 해당하는 자는 5년 이하의 징역 또는 5,000만 원 이하의 벌금에 처하거나 이를 병과할 수 있다.

1. 저작재산권, 그 밖에 이 법에 따라 보호되는 재산적 권리(제93조에 따른 권리는 제외한다)를 복제, 공연, 공중송신, 전시, 배포, 대여, 2차적 저작물 작성의 방법으로 침해한 자
2. 제129조의3 제1항에 따른 법원의 명령을 정당한 이유 없이 위반한 자

제140조(고소) 이 장의 죄에 대한 공소는 고소가 있어야 한다. 다만, 다음 각 호의 어느 하나에 해당하는 경우에는 그러하지 아니하다.

1. 영리를 목적으로 또는 상습적으로 제136조 제1항 제1호, 제136조 제2항 제3호 및 제4호(제124조 제1항 제3호의 경우에는 피해자의 명시적 의사에 반하여 처벌하지 못한다)에 해당하는 행위 를 한 경우

2. 제136조 제2항제2호 및 제3호의2부터 제3호의7까지, 제137조 제1항 제1호부터 제4호까지, 제6호 및 제7호와 제138조 제5호의 경우

녹화한 TV방송 파일 공유, 설마 위법일까요?

STORY

초등학교 6학년인 성모는 요즘 금요일 저녁이면 학원도 가지 않고 무조건 TV 앞에 앉아 있습니다. 그 이유는 성모의 여신, 트와이스가 나오는 〈생방송 뮤직뱅크〉가 하는 날이기 때문입니다. 성모는 트와이스가 데뷔한 이후로 지금까지 모든 프로그램을 컴퓨터로 녹화해놓고 보고 또 보고 있습니다.

언제나처럼 등교 후 수업이 시작되기 전까지, 성모는 친구들과 트와이스와 관련해 무한 수다를 떨고 있었습니다. 그러던 중 성모는 트와이스의 방송 활동을 전부 녹화한 파일이 있다는 이야기를 했고, 그 말에 친구 태영은 성모가 녹화한 파일을 공유해달라고 사정했습니다. 혼자 간

직하고 싶었지만, 게임 아이템까지 주겠다며 사정하는 태영이를 외면하지 못하고 성모는 결국 녹화 파일을 태영에게 주었습니다.

그런데 옆에서 그걸 보던 다른 친구 녀석이 저작권법 위반이라며 은근히 겁을 주는 것이었습니다. 덜컥 겁이 나는 성모, 정말 저작권법 위반인 건가요?

Advice : 저작권법 위반에 해당하지 않습니다.

해설

TV방송 녹화 파일의 저작권자

TV방송 영상은 일반적으로 그 방송을 제작, 방영하는 방송사에 저작권이 있습니다. 그런데 저작권법 제5조*에서는 원저작물을 번역 · 편곡 · 변형 · 각색 · 영상제작 그 밖의 방법으로 작성한 창작물(2차적 저작물)도 독자적인 저작물로서 보호하고 있는 바, 성모가 직접 녹화,

* **저작권법 제5조(2차적 저작물)** ① 원저작물을 번역 · 편곡 · 변형 · 각색 · 영상제작 그 밖의 방법으로 작성한 창작물(이하 "2차적 저작물"이라 한다)은 독자적인 저작물로서 보호된다.
② 2차적 저작물의 보호는 그 원저작물의 저작자의 권리에 영향을 미치지 아니한다.

저장한 생방송 인기가요 파일이 2차적 저작물인가 하는 의문이 있을 수 있습니다.

2차적 저작물이 되기 위해서는 기존 저작물의 변형만으로는 부족하고, 새로운 저작물로 인정할 만한 '창작성'이 있어야만 합니다. 대법원도 『2차적 저작물로 보호를 받기 위하여는 원저작물을 기초로 하되 원저작물과 실질적 유사성을 유지하고, 이것에 사회통념상 새로운 저작물이 될 수 있을 정도의 수정 · 증감을 가하여 새로운 창작성이 부가되어야 하는 것이며, 원저작물에 다소의 수정 · 증감을 가한 데 불과하여 독창적인 저작물이라고 볼 수 없는 경우에는 저작권법에 의한 보호를 받을 수 없다(대법원 2002.01.25. 선고 99도863 판결)』고 판시하고 있습니다.

성모가 녹화한 〈생방송 뮤직뱅크〉 파일은 방송국의 방송 영상에 어떠한 창작성을 부가하여 변형한 것이 아니라 방송 자체를 그대로 복제한 것으로 실질적인 개변이 없는 단순한 복제에 불과합니다. 따라서 이는 2차적 저작물에 해당하지 아니하므로 성모는 자신이 직접 생방송 인기가요 파일을 녹화, 저장하였다 하더라도 저작권을 주장할 수 없는 것입니다.

사적이용의 경우

저작권 있는 저작물을 이용하려면 원칙적으로 저작자의 허락을 받아야 하나, 문화의 향상 발전을 위해 저작물의 공정한 이용도 도모해야 하기 때문에 저작권법에서는 일정한 경우에는 저작권자의 승낙 없이 아무런 대가를 지급하지 않더라도 저작물을 자유로이 이용할 수 있도록 해주고 있습니다.

위 사례에서 성모는 자신이 녹화, 저장한 〈생방송 뮤직뱅크〉 파일을 친구인 태영이에게 공유해주었는데, 이렇게 개인 간에 사적으로 저작물을 공유하는 경우는 저작권법에서 금지하고 있는 '공중송신'* 의 개념에 포함되지 아니합니다. 뿐만 아니라 우리 저작권법에서 공표된 저작물에 대해 비영리목적으로 사적인 범위 내(개인적으로 이용하거나 가정 및 이에 준하는 한정된 범위 안)에서 이용자가 이용하고자 하는 경우, 즉 사적이용을 위한 복제는 허용하고 있는 바(저작권법 제30조), 친구에게 컴퓨터 녹화 파일을 공유해준다 하더라도 저작권법 위반죄는 성립하지 아니하는 것입니다.

---

* **저작권법 제2조 제7호** "공중송신"은 저작물, 실연 · 음반 · 방송 또는 데이터베이스(이하 '저작물 등'이라 한다)를 공중이 수신하거나 접근하게 할 목적으로 무선 또는 유선통신의 방법에 의하여 송신하거나 이용에 제공하는 것을 말한다.

저작권법

제30조(사적이용을 위한 복제) 공표된 저작물을 영리를 목적으로 하지 아니하고 개인적으로 이용하거나 가정 및 이에 준하는 한정된 범위 안에서 이용하는 경우에는 그 이용자는 이를 복제할 수 있다. 다만, 공중의 사용에 제공하기 위하여 설치된 복사기기에 의한 복제는 그러하지 아니하다.

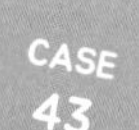

CASE 43

대체 토렌트가 뭐길래! 그저 사람들과 공유했을 뿐인데, 불법이라고요?

STORY

트와이스의 열성팬 1인자 자리를 두고 성모와 경쟁하고 있는 진태. 얼마 전, 성모가 트와이스 데뷔 이후의 모든 TV방송 녹화 파일을 태영이에게 공유했다는 사실을 알고 성모에게 의문의 1패를 당한 것 같아 아주 속상합니다. 그래서 진태는 친구 태영이에게 아직 국내에서 방송되지 않은 초고화질 대만방송 녹화 파일을 가지고 있다고 자랑했습니다. 태영은 진태에게 성모에게 준 것보다 더 귀한 게임 아이템을 줄 테니 그 파일을 공유해달라고 했습니다.

그제야 진태는 성모를 의식하며 의기양양하게 그러겠노라 대답했지만 정작 초고화질 파일이라 용량이 너무 커서 메일로 파일을 보내는 것이 쉽지 않았습니다.

그러자 태영은 토렌트 프로그램을 사용하자고 제안했습니다. 사실 진태는 토렌트 프로그램이 뭔지 잘 몰랐지만, 요전에 성모가 태영에게 파일을 준 것도 같은 방법이었을 거라고 단순하게 생각하고 토렌트 프로그램을 통해 파일을 공유했습니다.

때마침 토렌트를 이용해 성인물을 공유한 사람들을 일괄 단속한다는 신문 기사를 보고, 진태는 화들짝 놀랐습니다. 토렌트 프로그램이 뭔지도 몰랐는데, 이것을 사용해 동영상 파일을 공유하면 저작권법 위반인가요?

Advice : 저작권법 위반에 해당합니다.

해설

토렌트 공유의 문제점

'토렌트(Torrent)'란 개인 간 파일 공유 프로그램의 일종으로, 하나의 파일을 여러 조각으로 쪼개 다수의 사용자가 동시에 다운로드, 업로드하도록 하여 공유하는 프로그램입니다. 공유자가 많을수록 속도가 빨라져 인기가 있습니다.

성모가 녹화한 TV방송 파일은 어떤 창작성이 발현된 것이 아니라 단순히 TV방송을 복제한 것에 불과하므로 방송국에게 저작권이 있는 영상저작물입니다. 이 파일을 개인이 공유하거나 앞선 사례처럼 개인 간에 사적으로 저작물을 공유하는 경우에는 공중송신의 개념에 포함되지 아니하며 죄가 성립하지 않습니다.

그러나 성모가 태영이에게 컴퓨터 파일을 개별적으로 공유해준 것과 달리 진태가 토렌트를 이용하여 태영이에게 공유를 해주는 경우에는 태영이뿐만 아니라 불특정 다수인(공중)에게 파일이 전송되는 특징이 있습니다. 또한 파일을 전송받는 태영이의 경우에도 실제로는 진태로부터 파일을 다운로드받기 위해 토렌트 프로그램을 사용하지만 자신이 다운로드한 파일을 요청하는 다른 토렌트 이용자에게 업로드를 하게 되어 저작물을 공중에 송신하게 됩니다.

즉 토렌트의 경우, 파일의 업로드와 다운로드가 동시에 이루어지기 때문에 토렌트를 이용하여 저작권이 있는 파일을 공유하는 경우에는 저작권법 제136조 제1항 제1호의 저작재산권을 공중송신의 방법으로 침해하는 경우에 해당하게 됩니다.

저작권법

제136조(벌칙) ① 다음 각 호의 어느 하나에 해당하는 자는 5년 이하의 징역 또는 5,000만 원 이하의 벌금에 처하거나 이를 병과할 수 있다.

1. 저작재산권, 그 밖에 이 법에 따라 보호되는 재산적 권리(제93조에 따른 권리는 제외한다)를 복제, 공연, 공중송신, 전시, 배포, 대여, 2차적 저작물 작성의 방법으로 침해한 자
2. 제129조의3 제1항에 따른 법원의 명령을 정당한 이유 없이 위반한 자

CASE 44

글자체는 써도 되는데, 컴퓨터 글자체 파일은 사용할 수 없다고요?

STORY

초등학교 신문 동아리 회장인 6학년 우진이. 동아리 회원들과 함께 한 학기 동안 학교에서 열린 주요 행사들을 정리한 학교 신문을 만들고 있습니다.

각자 해야 할 일을 배분하여 열심히 신문을 만든 우진이와 회원들. 총 책임자인 우진이의 역할은 다른 친구들이 만든 기사들을 최종적으로 편집하고 디자인하는 것입니다.

마무리 단계로 신문의 글자체를 고르던 중, 우진이는 기존에 쓰던 신문 활자체가 마음에 들지 않아서 특별한 글자체로 바꾸고 싶었습니다. 그래서 최근 학생들 사이에서 유행하고 있는 폰트를 인터넷에서 다운받아 컴퓨터 워드프로그램을 이용해 학교 신문을 완성했습니다. 그 후, 예정대로 전 학급의 게시판에 올렸습니다.
그런데 동아리 회원 중 한 명이 뒤늦게 컴퓨터 폰트 파일을 무단으로 사용하면 저작권법에 위반된다고 말하는데요. 이 사실을 몰랐던 우진이는 법적으로 문제가 될까 걱정하고 있습니다. 인터넷으로 다운받은 폰트 파일의 사용, 정말 법 위반인가요?

Advice : 저작권법 위반에 해당합니다.

해설

'폰트(글자체)'는 저작권법의 보호대상이 아님

저작권법의 보호대상이 되려면 '창작성'이 있어야만 합니다. 그러나 글자체는 미적인 요소가 가미되어 있더라도 주된 기능은 사상이나 정보 등을 전달하는 실용적인 기능이 주된 목적인 바, 글자 모양 자체는 저작권법의 보호대상이 아닌 것입니다.* 글자체는 저작권법이

* 우리 저작권법은 서체도안의 저작물성이나 보호의 내용에 관하여 명시적인 규정을 두고 있지 아니하며, 인쇄용 서

아닌 디자인보호법에 의해 보호될 수 있으나, 이 경우에도 타자, 조판 또는 인쇄 등의 통상적인 과정에서 글자체를 사용하는 것은 디자인권의 침해로 보지 아니하고 있습니다.

'폰트 파일'은 저작권법의 보호대상임

글자체를 프로그래밍한 컴퓨터 폰트 파일은 컴퓨터 프로그램*의 일종으로 창작물에 해당하여 저작권법의 보호대상이 됩니다.** 따라서

체도안과 같이 실용적인 기능을 주된 목적으로 하여 창작된 응용미술 작품으로서의 서체도안은 거기에 미적인 요소가 가미되어 있다고 하더라도 그 자체가 실용적인 기능과 별도로 하나의 독립적인 예술적 특성이나 가치를 가지고 있어서 예술의 범위에 속하는 창작물에 해당하는 경우에만 저작물로서 보호된다. "산돌체모음", "안상수체모음", "윤체B", "공한체 및 한체모음" 등 서체도안들은 우리 민족의 문화유산으로서 누구나 자유롭게 사용하여야 할 문자인 한글 자모의 모양을 기본으로 삼아 인쇄기술에 의해 사상이나 정보 등을 전달한다는 실용적인 기능을 주된 목적으로 하여 만들어진 것임이 분명하여, 우리 저작권법의 해석상으로는 그와 같은 서체도안은 신청서 및 제출된 물품 자체에 의한 심사만으로도 저작권법에 의한 보호대상인 저작물에 해당하지 아니하다(대법원 1996.08.23. 선고 94누5632 판결).

* **저작권법 제2조 제16호** "컴퓨터 프로그램 저작물"은 특정한 결과를 얻기 위하여 컴퓨터 등 정보처리능력을 가진 장치(이하 "컴퓨터"라 한다) 내에서 직접 또는 간접으로 사용되는 일련의 지시 · 명령으로 표현된 창작물을 말한다.

** 구 컴퓨터 프로그램 보호법(1995. 12. 6. 법률 제4996호로 개정되기 전의 것)상의 컴퓨터 프로그램은 "특정한 결과를 얻기 위하여 컴퓨터 등 정보처리능력을 가진 장치 내에서 직접 또는 간접으로 사용되는 일련의 지시 · 명령으로 표현된 것"으로 정의되는 바, 이 사건 서체 파일이 특정한 서체의 글자의 출력을 목적으로 한다는 점에서 "특정한 결과"가 존재하고, 서체 파일의 구조에 해당하는 내용이 프로그램의 요체인 소스코드에 해당하며, 통상적인 프로그램과는 달리 파일의 구성요소를 제작자가 직접 코딩(coding)하지는 않지만, 마우스를 이용하여 서체를 도안하는 과정과 이를 제너레이트(generate)하여 인간이 인식할 수 있는 포스트 스크립트(PostScript) 파일로 저장하는 과정을 종합적으로 관찰하면 일반 프로그램 코딩과정과 다를 바 없고, 글자의 좌표값을 설정하고 이를 직선 또는 곡선으로 이동 · 연결시킨 후 폐쇄부를 칠하라는 명령 등은 서체와 같은 그림을 그리는 연산작용을 실행시키는 '일련의 지시 · 명령'에 해당하며, 글자의 윤곽선 정보를 벡터화된 수치 내지 함수로 기억하였다가 출력기종의 조건에 맞게 변환하여 출력하는 방식을 취한다는 점에서 단순한 데이터 파일과 구별되고, 단독으로 실행되지 않는다 하더라도 컴퓨터 프로그램 보호법에서 보호하는 프로그램이 반드시 단독으로 실행되는 것만을 뜻한다고 볼 수 없으므로 컴퓨터 프로그램 보호법(1995. 12. 6. 법률 제4996호로 개정되기 전의 것)상의 컴퓨터 프로그램에 해당한다(대

인터넷으로 다운받은 폰트 파일의 사용,
정말 법 위반인가요?

폰트 파일은 저작권법에 따라 보호받는 컴퓨터 프로그램 저작물이므로 저작권자의 허락 없이 이용(복제, 배포, 전송)하는 경우에는 저작권 침해가 될 수 있습니다.

위 사례에서 우진이가 학교 신문을 만드는 과정에서 폰트 파일을 복제하여 사용한 것이므로 학교교육 목적 등에의 이용으로 저작권 침해가 아니지 않냐는 의문이 있을 수 있습니다. 그러나 저작권법에서 인정하고 있는 학교교육 목적의 저작물의 복제, 배포 등은 교육기관에 한하여 인정되는 것이지 교육 대상자인 학생에게 인정되는 것은 아닙니다(저작권법 제101조의3 제1항 제2호, 제3호). 또한 학교 신문을 위한 복제는 가정과 같은 한정된 장소에서 개인적인 목적으로 복제하는 경우에 해당하지도 않는다 할 것입니다.

디자인보호법

제2조(정의) 2. "글자체"란 기록이나 표시 또는 인쇄 등에 사용하기 위하여 공통적인 특징을 가진 형태로 만들어진 한 벌의 글자꼴(숫자, 문장부호 및 기호 등의 형태를 포함한다)을 말한다.

제94조(디자인권의 효력이 미치지 아니하는 범위) ① 디자인권의 효력은 다음 각 호의

법원 2001.06.26. 선고 99다50552 판결). 현재 컴퓨터 프로그램 보호법은 2009년 7월 23일 폐지되고 컴퓨터 프로그램 저작물은 저작권법에 통합되어 보호되고 있습니다.

어느 하나에 해당하는 사항에는 미치지 아니한다.

1. 연구 또는 시험을 하기 위한 등록디자인 또는 이와 유사한 디자인의 실시

2. 국내를 통과하는 데에 불과한 선박 · 항공기 · 차량 또는 이에 사용되는 기계 · 기구 · 장치, 그 밖의 물건

3. 디자인등록출원 시부터 국내에 있던 물건

② 글자체가 디자인권으로 설정등록된 경우 그 디자인권의 효력은 다음 각 호의 어느 하나에 해당하는 경우에는 미치지 아니한다.

1. 타자 · 조판 또는 인쇄 등의 통상적인 과정에서 글자체를 사용하는 경우

2. 제1호에 따른 글자체의 사용으로 생산된 결과물인 경우

제114조(침해로 보는 행위) 등록디자인이나 이와 유사한 디자인에 관한 물품의 생산에만 사용하는 물품을 업으로서 생산 · 양도 · 대여 · 수출 또는 수입하거나 업으로서 그 물품의 양도 또는 대여의 청약을 하는 행위는 그 디자인권 또는 전용실시권을 침해한 것으로 본다.

저작권법

제101조의3(프로그램의 저작재산권의 제한) ① 다음 각 호의 어느 하나에 해당하는 경우에는 그 목적상 필요한 범위에서 공표된 프로그램을 복제 또는 배포할 수 있다. 다만, 프로그램의 종류 · 용도, 프로그램에서 복제된 부분이 차지하는 비중 및 복제의 부수 등에 비추어 프로그램의 저작재산권자의 이익을 부당하게 해치는 경우에는 그러하지 아니하다.

1. 재판 또는 수사를 위하여 복제하는 경우

2. 「유아교육법」, 「초 · 중등교육법」, 「고등교육법」에 따른 학교 및 다른 법률에 따

라 설립된 교육기관(상급학교 입학을 위한 학력이 인정되거나 학위를 수여하는 교육기관에 한한다)에서 교육을 담당하는 자가 수업과정에 제공할 목적으로 복제 또는 배포하는 경우

3. 「초 · 중등교육법」에 따른 학교 및 이에 준하는 학교의 교육목적을 위한 교과용 도서에 게재하기 위하여 복제하는 경우

4. 가정과 같은 한정된 장소에서 개인적인 목적(영리를 목적으로 하는 경우를 제외한다)으로 복제하는 경우

5. 「초 · 중등교육법」, 「고등교육법」에 따른 학교 및 이에 준하는 학교의 입학시험이나 그 밖의 학식 및 기능에 관한 시험 또는 검정을 목적(영리를 목적으로 하는 경우를 제외한다)으로 복제 또는 배포하는 경우

6. 프로그램의 기초를 이루는 아이디어 및 원리를 확인하기 위하여 프로그램의 기능을 조사 · 연구 · 시험할 목적으로 복제하는 경우(정당한 권한에 의하여 프로그램을 이용하는 자가 해당 프로그램을 이용 중인 때에 한한다)

② 컴퓨터의 유지 · 보수를 위하여 그 컴퓨터를 이용하는 과정에서 프로그램(정당하게 취득한 경우에 한한다)을 일시적으로 복제할 수 있다.

③ 제1항 제3호에 따라 프로그램을 교과용 도서에 게재하려는 자는 문화체육관광부장관이 정하여 고시하는 기준에 따른 보상금을 해당 저작재산권자에게 지급하여야 한다. 보상금 지급에 대하여는 제25조 제5항부터 제9항까지의 규정을 준용한다.

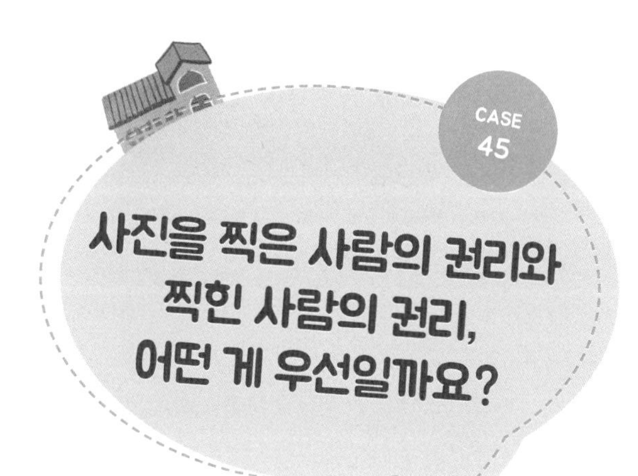

사진을 찍은 사람의 권리와 찍힌 사람의 권리, 어떤 게 우선일까요?

STORY

지호와 준영이는 둘도 없는 단짝 친구지만, 친한 만큼 서로 경쟁의식을 느끼고 있습니다. 토요일 오후 두 시에서 다섯 시 사이는 두 아이에게 일주일 중 유일하게 게임이 허락된 시간입니다. 초를 다투며 게임을 하던 지호와 준영이는 순식간에 3시간이 지나자 허탈해져서 무엇을 하고 놀까 고민하다가, 더 웃긴 표정을 짓는 사람이 이기는 놀이를 시작했습니다.

평소 준영이보다 더 활발한 지호가 기상천외한 표정으로 준영이를 웃기자, 준영이는 그런 지호의 모습을 휴대폰 카메라로 찍은 후 지호에게 보여주며 놀았습니다.

그렇게 한참을 논 후, 지호는 준영이에게 자기가 너무 못생기게 나왔다며 사진을 지워달라고 했습니다. 하지만 준영이는 이런 사진은 둘만 보기에 너무 아깝고, 무엇보다 사진을 찍은 자신이 저작권자이므로 자신의 인스타그램에 올리겠다고 합니다.

이에 질세라 지호는 어디선가 들어봤다면서 준영이의 행동은 초상권 침해라고 절대로 안 된다고 우겼습니다. 과연 누구의 말이 맞는 건가요?

Advice : 초상권자의 동의 없이 게재하면 안 됩니다.

해설

사진저작물

사진의 경우 피사체의 선택, 구도의 설정, 빛의 방향과 양의 조절, 카메라 각도의 설정, 셔터의 속도, 셔터찬스의 포착, 기타 촬영방법, 현상 및 인화 등의 과정에 촬영자의 사상과 감정이 창작적으로 표현된 경우 창작물로 인정되어 사진저작물*로 보호됩니다(저작권법 제4조

* 구 저작권법(2006. 12. 28. 법률 제8101호로 전부 개정되기 전의 것)에 의하여 보호되는 저작물에 해당하기 위

제1항 제6호).

준영이가 지호의 재미난 표정을 사진으로 찍은 것은 단지 피사체의 사실적 재현만을 위한 것이 아니라 피사체의 선택, 구도의 설정, 광량의 조절, 카메라 각조의 설정 등 창작성이 어느 정도 있다 할 것이므로 저작물에 해당합니다.

사진저작권과 초상권의 충돌

위와 같이 사진 촬영자인 준영이의 사진에 대한 저작권은 인정될 것이나, 물건, 풍경 사진과 달리 지호의 얼굴 사진은 지호의 초상권*을 침해할 수 있습니다. 그리하여 저작권법에서는 『위탁에 의한 초상화 또는 이와 유사한 사진저작물의 경우에는 위탁자의 동의가 없는 때에는 이를 이용할 수 없다(제35조 제4항)』고 규정하여 초상권을 침해하지 않는 범위 내에서 저작권을 인정하여 저작권과 초상권의 충돌 문제를 조화롭게 해결하고 있습니다.

해서는 문학 · 학술 또는 예술의 범위에 속하는 창작물이어야 하고 그 요건으로서 창작성이 요구되므로, 사진 저작물의 경우 피사체의 선정, 구도의 설정, 빛의 방향과 양의 조절, 카메라 각도의 설정, 셔터의 속도, 셔터찬스의 포착, 기타 촬영방법, 현상 및 인화 등의 과정에서 촬영자의 개성과 창조성이 인정되어야 그러한 저작물에 해당한다고 볼 수가 있다(대법원 2010.12.23. 선고 2008다44542 판결).

* 사람은 누구나 자신의 얼굴 기타 사회통념상 특정인임을 식별할 수 있는 신체적 특징에 관하여 함부로 촬영 또는 그림묘사되거나 공표되지 아니하며 영리적으로 이용당하지 않을 권리를 가지는데, 이러한 초상권은 우리 헌법 제10조 제1문에 의하여 헌법적으로 보장되는 권리이다(대법원 2006.10.13. 선고 2004다16280 판결).

따라서 초상권자인 지호의 의사에 반하여 준영이가 지호의 사진을 자신의 인스타그램에 게시하면 지호는 준영이에게 그 사진의 삭제를 요청할 수 있으며, 초상권의 침해는 불법행위를 구성하는 바 준영이를 상대로 불법행위에 기한 손해배상을 청구할 수도 있을 것입니다.

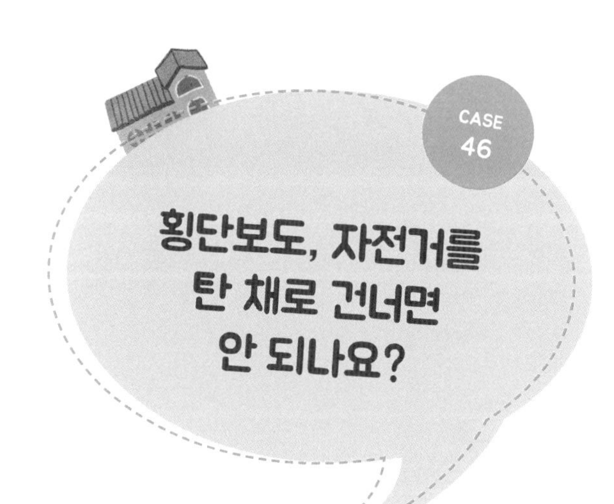

횡단보도, 자전거를 탄 채로 건너면 안 되나요?

STORY

중학생인 규현이는 자전거로 통학을 하고 있습니다. 규현이가 워낙에 자전거를 타는 것을 좋아하기도 하지만 집에서 학교까지의 거리가 멀어서 걸어서는 30분이 넘게 걸리기 때문입니다.

여느 때처럼 온 몸이 흠뻑 젖을 때까지 학교에서 친구들과 축구를 하고 놀던 규현이. 미처 시간 확인을 못해 수학 학원에 갈 시간을 넘겨버렸습니다. 알람시계처럼 학원에서 전화가 오자, 마음이 급해진 규현이는 횡단보도에서 자전거를 탄 채로 건너가다가 할머니와 부딪히고 말았습니다.

자전거 핸들을 신속하게 꺾는 바람에 다행히 할머니께서는 특별히 다친 데가 없었습니다. 그래도 죄송한 마음에 거듭 사죄를 드렸는데도, 할머니께서는 횡당보도에서 자전거를 타고 다닌다고 규현이를 엄청 야단치셨습니다.

괜히 억울한 마음이 드는 규현이. 정말로 할머니 말씀대로 자전거를 타고 횡단보도를 건너면 안 되는 건가요?

Advice : 횡단보도는 자전거에서 내려서 건너가야 합니다.

해설

자전거는 도로교통법 적용대상

도로교통법은 도로에서 일어나는 교통상의 모든 위험과 장해를 방지하고 제거하여 안전하고 원활한 교통을 확보하기 위해 보행자, 차마의 통행방법, 주의의무 등을 규율하고 있는 법입니다(도로교통법 제1조). 도로교통법에서 말하는 차란 ① 자동차, ② 건설기계, ③ 원동기장치자전거, ④ 자전거, 사람 또는 가축의 힘이나 그 밖의 동력으로 도로에서 운전되는 것(다만, 철길이나 가설된 선을 이용하여 운전되는 것, 유모차와 행정자치부령으로 정하는 보행보조용 의자 차는 제외)을 말합니다(동법 제2조 제17호 가목).

도로교통법상 차에 해당하는 자전거는 도로교통법상 차마의 통행 방법에 따라 통행해야 하는 것입니다. 횡단보도는 보행자가 도로를 횡단할 수 있도록 안전표지로 표시한 도로의 부분(동법 제2조 제12호)으로 차마의 운전자는 안전지대 등 안전표지에 의하여 진입이 금지된 장소에 들어가서는 아니되므로(동법 제13조 제5항), 규현이는 자전거를 타고 횡단보도를 건너서는 아니되는 것입니다.* 도로교통법에서는 자전거의 운전자가 횡단보도를 이용하여 도로를 횡단할 때에는 자전거에서 내려서 자전거를 끌고 보행하도록 명시적으로 규정하고 있기도 합니다(동법 제13조의2 제6항).

도로교통법

제13조(차마의 통행) ① 차마의 운전자는 보도와 차도가 구분된 도로에서는 차도로 통행하여야 한다. 다만, 도로 외의 곳으로 출입할 때에는 보도를 횡단하여 통행할 수 있다.

제13조의2(자전거의 통행방법의 특례) ① 자전거의 운전자는 자전거도로(제15조 제1항에 따라 자전거만 통행할 수 있도록 설치된 전용차로를 포함한다. 이하 이 조에서 같

* 자전거를 타고 횡단보도에 진입할 경우 도로교통법 제156조 제1호, 제13조 제5항 위반으로 20만 원 이하의 벌금이나 구류 또는 과료에 처해집니다.

다)가 따로 있는 곳에서는 그 자전거도로로 통행하여야 한다.

② 자전거의 운전자는 자전거도로가 설치되지 아니한 곳에서는 도로 우측 가장자리에 붙어서 통행하여야 한다.

③ 자전거의 운전자는 길가장자리구역(안전표지로 자전거의 통행을 금지한 구간은 제외한다)을 통행할 수 있다. 이 경우 자전거의 운전자는 보행자의 통행에 방해가 될 때에는 서행하거나 일시정지하여야 한다.

④ 자전거의 운전자는 제1항 및 제13조 제1항에도 불구하고 다음 각 호의 어느 하나에 해당하는 경우에는 보도를 통행할 수 있다. 이 경우 자전거의 운전자는 보도 중앙으로부터 차도 쪽 또는 안전표지로 지정된 곳으로 서행하여야 하며, 보행자의 통행에 방해가 될 때에는 일시정지하여야 한다.

1. 어린이, 노인, 그 밖에 행정자치부령으로 정하는 신체장애인이 자전거를 운전하는 경우
2. 안전표지로 자전거 통행이 허용된 경우
3. 도로의 파손, 도로공사나 그 밖의 장애 등으로 도로를 통행할 수 없는 경우

⑤ 자전거의 운전자는 안전표지로 통행이 허용된 경우를 제외하고는 2대 이상이 나란히 차도를 통행하여서는 아니된다.

⑥ 자전거의 운전자가 횡단보도를 이용하여 도로를 횡단할 때에는 자전거에서 내려서 자전거를 끌고 보행하여야 한다.

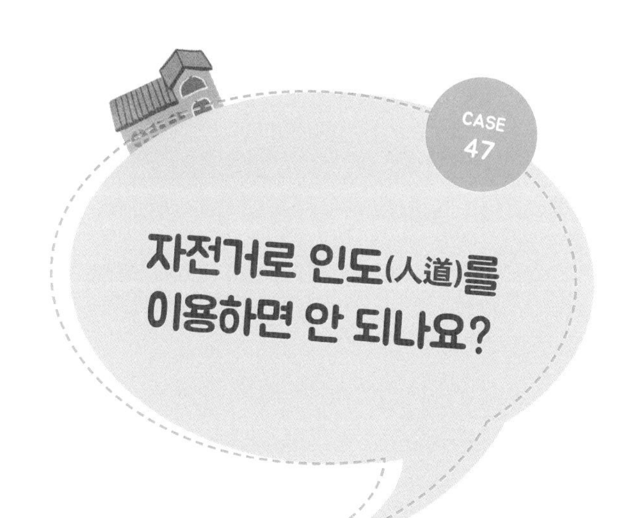

CASE 47

자전거로 인도(人道)를 이용하면 안 되나요?

STORY

아홉 살 생일을 맞이하여 부모님께 자전거를 선물 받은 성민이. 주말마다 아빠와 아파트 공터에서 맹훈련을 한 결과, 이제는 혼자 아파트 동네 한 바퀴는 거뜬히 돌 정도의 실력을 쌓았습니다.

하지만 아파트 건물 배치 구조상, 어린아이들이 안전하게 자전거를 탈 공간이 마련돼 있지 않아서 성민이 엄마는 항상 노심초사입니다. 그래서 성민이는 엄마로부터 찻길에서 자전거를 타면 위험하니 항상 아파트 인도를 이용해 자전거를 타라는 당부를 귀에 못이 박히게 들어왔습니다.

그날도 성민이는 평소대로 아파트 인도로 자전거를 타고 가는데, 앞에 한 아저씨가 산책을 하고 계셨습니다. 처음에 성민이는 아저씨 뒤를 천천히 따라갔지만, 자전거 속도가 줄자 자꾸 비틀거려 넘어질 것 같아 어쩔 수 없이 벨을 울렸습니다. 아저씨가 길을 내어주길 바라는 마음에서요.
하지만 아저씨는 벨소리에 깜짝 놀라시며 사람 다니는 길에서 버젓이 자전거를 타면서 급기야 벨까지 울린다며 버릇없다고 엄청 크게 꾸짖으셨습니다.
분명 엄마는 인도에서 자전거를 타라고 말씀하셨는데, 어찌된 일일까요? 성민이는 어리둥절했습니다. 아저씨 말씀대로 아파트 인도에선 자전거를 타면 안 되는 건가요, 또, 길을 가는 사람에게 자전거로 먼저 앞서 가겠다고 양해를 구할 수 없는 건가요?

Advice : 인도 통행이 가능하나 보행자 우선입니다.

해설

자전거의 통행방법

자전거도 도로교통법상 차*에 해당하므로 차의 통행방법을 따라야

* 도로교통법상 차는 ①자동차, ②건설기계, ③원동기장치자전거, ④자전거, 사람 또는 가축의 힘이나 그 밖의 동력

합니다. 도로교통법에서는 차마의 운전자는 차도로 통행할 것과 자전거 운전자의 경우 자전거도로 또는 도로 우측 가장자리로 붙어 통행하도록 규정하고 있습니다(도로교통법 제13조, 제13조의2). 즉 자전거 운전자는 원칙적으로 보도를 통행해서는 아니됩니다.

그러나 ① 어린이, 노인, 그 밖에 행정자치부령으로 정하는 신체장애인이 자전거를 운전하는 경우, ② 안전표지로 자전거 통행이 허용된 경우, ③ 도로의 파손, 도로공사나 그 밖의 장애 등으로 도로를 통행할 수 없는 경우에는 자전거 운전자도 예외적으로 보도 중앙으로부터 차도 쪽 또는 안전표지로 지정된 곳으로 서행하는 방법으로 보도를 통행할 수 있습니다(동법 제13조의2 제4항). 다만, 이 경우에도 보행자의 통행에 방해가 될 때에는 자전거 운전자는 일시정지해야 합니다.

따라서 9세인 성민이는 예외적으로 인도에서도 자전거를 탈 수는 있는 것이나, 보행자인 아저씨의 통행을 방해하여서는 아니되며, 아저씨가 길을 비켜주지 않는다면 원칙적으로 일시정지했다가 가야만 할 것입니다.

으로 도로에서 운전되는 것(다만, 철길이나 가설된 선을 이용하여 운전되는 것, 유모차와 행정자치부령으로 정하는 보행보조용 의자차는 제외)을 말합니다.

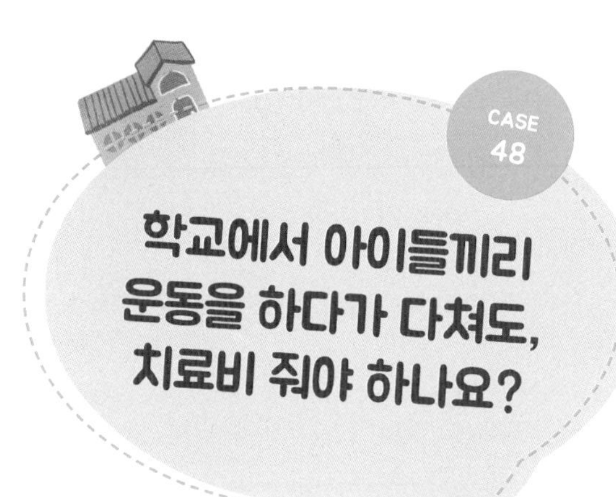

학교에서 아이들끼리 운동을 하다가 다쳐도, 치료비 줘야 하나요?

STORY

초등학교 3학년인 유민이는 방과 후 프로그램으로 매주 월요일마다 축구를 합니다. 또래에 비해 유난히 체구가 작고 소심했던 유민이는 축구를 시작하면서부터 키도 부쩍 크고 성격도 활발해졌습니다. 그래서 유민이와 유민이 부모님은 축구에 엄청난 애정을 가지고 있습니다.

그러던 어느 날, 방과 후 축구를 하던 유민이에게 사고가 생겼습니다. 공격을 하던 유민이가 실수로 수비하던 세원이의 정강이를 걷어찬 것입니다.

축구를 시작할 무렵, 유민이의 엄마와 아빠는 다리에 힘이 없는 유민이에게 있는 힘껏 공을 차라고 가르쳤습니다. 그래서 공을 세게 차는 버

룻이 든 유민이의 발길질에 세원이의 정강이가 그만 부러지고 말았습니다.

한 달 동안 깁스를 하고 목발 신세를 져야 하는 세원이. 세원 엄마는 치료비를 요구하는데요. 아이가 일부러 그런 것도 아니고, 축구를 하다가 벌어진 일인데도 치료비를 줘야 하는 건가요?

Advice : 치료비를 줘야 합니다(불법행위책임).

해설

불법행위 성립 여부

축구 경기의 특성상 몸과 몸이 부딪치는 일은 통상적인 일이므로 이를 전면적으로 금지하고서는 축구 경기를 할 수 없습니다. 따라서 유민이에게 축구 경기 중에 우연히 세원이와 몸이 부딪치는 것까지 방지할 주의의무가 있다고 보기는 어렵습니다. 그러나 축구 경기 중 몸싸움이나 신체접촉이 있더라도 지나치게 강한 태클을 한다든가 이 사례와 같이 공을 차지 않고 세원이의 발을 걸어 찬 경우에는 정상적인 축구 경기 중의 행동으로 보기 어렵기 때문에 과실에 의한 불법행위가 성립할 것으로 보입니다(만약 성민이가 세원이가 찬 공에 맞아 다친 경우에는 사회통념상 허용되는 정당행위에 해당하여 위법성이 조각되어 불법행위가 성립하지 않는다 할 것입니다).

치료비 부담의 주체

위 사례에서 불법행위를 한 주체는 초등학생인 유민이이므로 원칙적으로 유민이에게 불법행위에 기한 손해배상책임이 있습니다. 그런데 불법행위에 대한 책임을 변식할 지능이 없는 미성년자*의 경우에는 자신의 행위에 대한 비난 가능성이 없기 때문에 민법 제753조에서는 『미성년자가 타인에게 손해를 가한 경우에 그 행위의 책임을 변식할 지능이 없는 때에는 배상의 책임이 없다』고 하여 그의 불법행위책임을 배제하고 있습니다. 이런 경우에는 미성년자를 감독할 법정의무 있는 자가 그 손해를 배상할 책임이 있으며, 감독자가 감독의무를 게을리하지 아니하였다는 것을 입증한 경우에는 그 책임을

---

* 우리 대법원 판례에 의하면 "불법행위로 인한 책임을 변식할 지능의 유무는 연령 교육기관의 학년도에 의하여 획일적으로 결정할 수 없고 각자의 지능 발육정도 환경 지위신분 평소 행동 등에 의하여 개별적으로 결정하여야 한다"고 판시하고 있고 사안에 따라 달리 판단하나, 대략적으로 초등학생까지는 불법행위에 대한 책임능력이 없는 것으로 보고 있는 것으로 보입니다.

- 만 13년 5개월 된 성적이 우수한 중학생 : 불법행위 책임능력 없다(대법원 1977.05.24. 선고 77다354 판결).
- 14년 2개월 된 중학생 : 불법행위 책임능력 없다(대법원 1978.11.28. 선고 78다1805 판결).
- 14세 3개월이 된 사람 : 불법행위에 대한 책임을 변식할 지능이 있다(대법원 1969.02.25. 선고 68다1822 판결).
- 만 16세 5개월 남짓 된 고등학교 2학년에 재학 중인 자 : 불법행위에 대한 책임을 변식할 지능이 있다(대법원 1989.05.09. 선고 88다카2745 판결).

아이가 일부러 그런 것도 아니고,
축구를 하다가 벌어진 일인데도
치료비를 줘야 하는 건가요?

면하게 됩니다(민법 제755조).

여기서 말하는 감독자의 감독의무는 미성년자의 불법행위 자체에 대한 것이 아니라 미성년자의 생활 전반에 대한 일반적 감독과 교육을 말하는 바, 유민이 부모에게는 유민이가 축구 경기 시 안전하게 경기를 하고 상대방의 발을 걷어차지 않도록 지도 · 감독할 주의의무가 있다고 할 것이므로 민법 제755조에 따라 유민이의 손해를 배상할 책임이 있는 것입니다.

민법

제753조(미성년자의 책임능력) 미성년자가 타인에게 손해를 가한 경우에 그 행위의 책임을 변식할 지능이 없는 때에는 배상의 책임이 없다.

제755조(감독자의 책임) ① 다른 자에게 손해를 가한 사람이 제753조 또는 제754조에 따라 책임이 없는 경우에는 그를 감독할 법정의무가 있는 자가 그 손해를 배상할 책임이 있다. 다만, 감독의무를 게을리 하지 아니한 경우에는 그러하지 아니하다.

② 감독의무자를 갈음하여 제753조 또는 제754조에 따라 책임이 없는 사람을 감독하는 자도 제1항의 책임이 있다.

아이들끼리의 몸싸움, 가해자와 피해자가 따로 있을까요?

STORY

학교에서 축구부원으로 활동하고 있는 재성이와 민수. 재성이는 팀 내에서 공격수이고 민수는 수비를 겸한 미드필더입니다.

재성이와 민수는 축구 연습을 마치고 집으로 가던 중, 얼마 후 있을 독일과 브라질의 친선 경기에서 어떤 팀이 이길 것인지를 두고 열띤 토론을 벌였습니다. 공격수인 재성이는 당연히 화려한 공격 위주의 브라질이 이길 것이라고 주장했고, 미드필드인 민수는 확실한 전략가가 있는 독일이 우위일 것이라고 반박했습니다. 어느새 토론은 말다툼으로 번졌고, 급기야 치고박는 몸싸움으로 이어졌습니다. 덩치가 더 큰 재성이는 작은 상처만 생긴 반면, 덩치가 작아 상대적으로 더 많이 맞은 민수는 코피까지 터졌습니다.

재성이 엄마는 사내아이들이 싸울 수도 있는 것 아니냐고 대수롭지 않게 여기는데, 피를 본 민수 엄마는 아이가 폭력을 당했다고 주장합니다. 민수 엄마의 말에 재성이 엄마는 어이없다는 듯 어차피 때린 건 피차 마찬가지라고 주장하고, 민수 엄마는 자기 아이는 정당방위를 한 것뿐이라고 우깁니다. 재성이 엄마와 민수 엄마의 말 중 누구의 말이 맞나요?

Advice : 정당방위에 해당하지 않습니다.

해설

싸움은 정당방위에 해당 안 됨

폭행죄는 사람의 신체에 대하여 폭력(유형력 행사)을 가한 범죄로, 싸움의 경우 싸운 사람 모두에게 폭행죄(형법 제260조 제1항)가 성립합니다. 민수의 경우, 재성이가 더 많이 때렸기 때문에 자신은 정당방위라고 주장할 수는 있으나, 싸움의 경우 가해행위는 방어행위인 동시에 공격행위의 성격을 가지므로 정당방위가 되지 아니합니다(대법원 2000. 3. 28. 선고 2000도228 판결).

폭행죄는 반의사불벌죄

민수는 재성이에게 맞아서 코피가 났기 때문에 상해를 입었다고 주장할 수도 있으나 상처가 굳이 치료를 받지 않더라도 일상생활을 하는 데 지장이 없고 시일이 경과함에 따라 자연적으로 치유될 수 있을 정도라면 상해에 해당하지 아니합니다. 위 사례의 경우 민수와와 재성이는 모두 폭행죄가 성립하는 것으로 보입니다. 폭행죄의 경우 피해자의 명시한 의사에 반하여 공소를 제기할 수 없는 반의사불벌죄인 바(형법 제260조 제3항), 양측 모두 처벌불원의사가 있다면 형사책임은 벗어날 수 있습니다. 따라서 민수와 재성이가 적절하게 화해하여 형사책임은 벗어나는 것이 현명하며, 손해가 있다면 민사적으로 불법행위에 기한 손해배상책임을 물으면 될 것입니다.

형법

제260조(폭행, 존속폭행) ① 사람의 신체에 대하여 폭행을 가한 자는 2년 이하의 징역, 500만 원 이하의 벌금, 구류 또는 과료에 처한다.

② 자기 또는 배우자의 직계존속에 대하여 제1항의 죄를 범한 때에는 5년 이하의 징역 또는 700만 원 이하의 벌금에 처한다.

③ 제1항 및 제2항의 죄는 피해자의 명시한 의사에 반하여 공소를 제기할 수 없다.

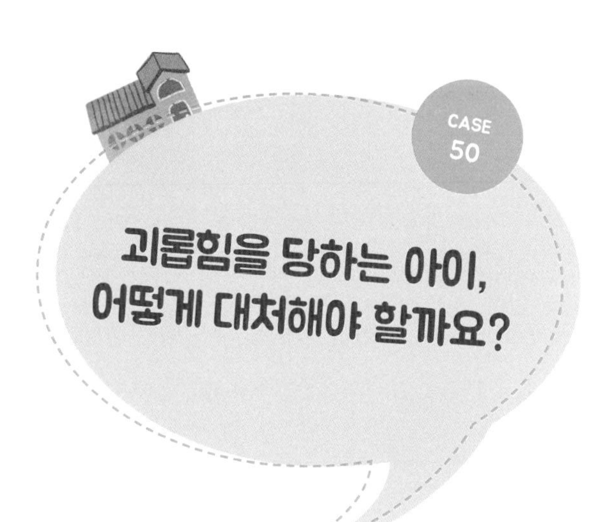

STORY

학교에서 가을 체험학습으로 테마파크를 가게 될 해민이. 다른 애들 같으면 설레어 잠을 설칠 텐데, 해민이는 전혀 다른 걱정으로 잠을 설쳤습니다. 분명 종민이의 일당이 OO월드에서도 자신을 괴롭힐 것이기 때문입니다. 반에서 체구가 제일 작고 내성적인 해민이는 난쟁이냐고 놀림을 받는 것은 기본, 하기 싫은 심부름을 억지로 하는 등 종민이와 몇몇 친구들로부터 괴롭힘을 당하고 있습니다.

아니나 다를까? 종민이 일당은 무서워서 타고 싶지 않은 놀이기구에 해민이를 강제로 태우려고 했고, 절대로 못 탄다고 버티자, 다른 놀이기구까지 못 타게 만들었습니다. 심지어 이를 말리는 다른 친구들까지 함께

왕따를 시켰습니다.

도저히 견딜 수가 없는 해민이는 대책을 세우기로 마음먹었습니다. 무엇을, 어떻게 해야 해민이는 종민이 무리의 괴롭힘으로부터 보호받을 수 있을까요? 또, 해민이가 법적인 대응을 한다면, 종민이의 무리는 어떤 처벌을 받게 되는 건가요?

Advice : 학교폭력법에 따른 보호조치를 받을 수 있으며, 가해자에게 피해자는 민 · 형사상의 책임을 물을 수 있습니다.

해설

학교폭력의 개념

'학교폭력'이란 학교 내외에서 학생을 대상으로 발생한 상해, 폭행, 감금, 협박, 약취 · 유인, 명예훼손 · 모욕, 공갈, 강요 · 강제적인 심부름 및 성폭력, 따돌림, 사이버 따돌림, 정보통신망을 이용한 음란 · 폭력 정보 등에 의하여 신체 · 정신 또는 재산상의 피해를 수반하는 행위를 말합니다[학교폭력예방 및 대책에 관한 법률(이하 '학교폭력법'이라 함) 제2조 제1호]. 학교폭력법 제2조 제1호의2에서는 『'따돌림'

이란 학교 내외에서 2명 이상의 학생들이 특정인이나 특정집단의 학생들을 대상으로 지속적이거나 반복적으로 신체적 또는 심리적 공격을 가하여 상대방이 고통을 느끼도록 하는 일체의 행위를 말한다』고 규정하여, 특정인에 대한 지속적, 반복적 따돌림을 학교폭력으로 분명하게 규정하고 있습니다. 위 사례에서 종민이 등 학교 친구들이 해민이를 지속적으로 괴롭히는 것은 학교폭력에 해당합니다.

학교폭력법에 따른 해결방법

학교폭력법은 학교폭력이 발생하였을 경우 피해학생 및 가해학생에 대한 신속한 조치를 하여 2차 피해를 방지하고 사법처리 이전에 분쟁을 교육적으로 해결해 학생의 인권을 보호하고 건전한 사회구성원으로 육성하기 위해 제정된 법률로, 학교폭력의 규제, 피해학생의 보호 및 가해학생에 대한 조치에 있어서 다른 법률에 특별한 규정이 있는 경우를 제외하고는 이 법을 반드시 적용하도록 규정하고 있습니다(제1조, 제5조)

즉 학교폭력 발생 시 법적분쟁으로 확대되기 전 학교폭력법에 따른 학교폭력대책자치위원회가 1차적으로 개입해 피해학생에 대한 보호조치, 가해학생에 대한 조치를 결정하고, 손해배상금에 대한 조정 등을 통해 분쟁을 원만하고 신속하게 해결하도록 하고 있는 것입니다.

1) 피해학생에 대한 보호조치

자치위원회는 피해학생의 보호를 위해 필요하다고 인정하는 때에 피해학생에 대하여 ① 심리상담 및 조언, ② 일시보호, ③ 치료 및 치료를 위한 요양, ④ 학급교체, ⑤ 그 밖에 피해학생 보호를 위한 필요한 조치를 할 것을 학교 장에게 요청할 수 있습니다(제16조 제1항).

2) 가해학생에 대한 조치

자치위원회는 피해학생의 보호와 가해학생의 선도, 교육을 위해 가해학생에 대하여 ① 피해학생에 대한 서면사과, ② 피해학생 및 신고 · 고발 학생에 대한 접촉, 협박 및 보복행위의 금지, ③ 학교에서의 봉사, ④ 사회봉사, ⑤ 학내외 전문가에 의한 특별교육 이수 또는 심리치료, ⑥ 출석정지, ⑦ 학급교체, ⑧ 전학, ⑨ 퇴학처분을 할 것을 학교 장에게 요청해야 하며, 학교의 장은 위와 같은 요청이 있을 경우 14일 이내에 해당조치를 해야 합니다(제17조 제1항, 제6항)

위 사례에서 피해학생인 해민이는 그 따돌림, 괴롭힘이 심할 경우 학급교체 등 필요한 조치를 요구할 수 있을 것이고, 종민이 등 가해학생들에게 사과 및 접촉금지 특별교육 이수, 학급교체 등의 조치를 취해달라고 요청할 수도 있을 것입니다.

일반적인 해결방법

학교폭력법에 따른 자치위원회의 손해배상에 관한 조정이 성립되지 않을 경우 또는 조정이 성립되었다 하더라도 이를 이행하지 않을 경우에는 피해학생 측에서는 가해학생, 그 보호자에게 민법 제750조에 따라 불법행위에 따른 손해배상책임을 물을 수 있습니다.

또한 집단따돌림이 폭행, 모욕, 명예훼손, 공갈 등 형사범죄에 해당한다면 가해학생이 학교폭력법에 따라 조치와 징계를 받은 것과 별개로 형사처벌을 받을 수도 있습니다(단, 가해학생이 만 14세 미만일 경우에는 형사미성년자로 형사처벌은 받지 않으나, 소년법에 따른 보호처분 등은 받을 수 있습니다).

학교폭력의 유형 (변호사명예교사를 위한 지침서 제230쪽)

유 형	사 례
신체폭력	- 때리거나 신체에 위협을 가하는 행위 - 장난을 빙자해 신체에 해를 주는 행위
언어폭력	- 욕설, 모욕, 루머 등으로 상대방의 마음에 상처 주는 행위
금품갈취	- 돈, 물건을 빼앗거나, 빌리고, 망가뜨리는 행위
강요	- "빵 셔틀" 등 하기 싫은 일을 억지로 하게 하는 행위
따돌림	- 학교 내외에서 2명 이상의 학생들이 특정인이나 특정집단의 학생들을 대상으로 지속적이거나 반복적으로 신체적 또는 심리적 공격을 가하여 상대방이 고통을 느끼도록 하는 일체의 행위
성폭력	- 이성, 동성을 대상으로 성적 수치심과 고통을 주는 행위

사이버폭력	- 인터넷, 핸드폰, SNS 등을 이용하여 상대를 모욕하거나 이를 이용하여 협박, 갈취 등을 하는 행위 - 특정학생과 관련된 개인정보 또는 허위사실을 유포하여 상대방이 고통을 느끼도록 하는 일체의 행위

CASE 51

학력이 인정되지 않는 중학교를 다녔다면, 고등학교 진학을 할 수 없나요?

STORY

평소 교육 철학이 남다른 종찬 씨. 외동딸인 예원이만큼은 의미 없는 경쟁에 시달리지 않고 자유롭게 생각하며 공부할 수 있게 해주고 싶었습니다. 예원이도 그러길 바랐습니다. 그래서 비싼 등록금과 학부모 참여도가 높음에도 불구하고 참교육으로 유명하다는 'A 중학교'에 진학시켰습니다.

종찬 씨는 A중학교가 대안학교라 학력을 인정받을 수 없다는 걸 알고 아이를 학교에 보내야 하는지 말아야 하는지 잠시 고민하기도 했지만, 조만간 혁신학교로 편입되어 학력을 인정받을 수 있을 거라는 소문이 있었기에 입학시켰습니다.

시간이 흘러, 어느새 예원이는 곧 졸업하게 됩니다. 아이는 3년 내내 A 중학교에서 공부하면서 너무나 행복해했고, 그만큼 성장했지만, 종찬 씨는 마냥 행복해할 순 없었습니다. 조만간 공교육 기관으로 편입될 것이라던 학교가 여전히 대안학교로 있었기 때문에 결국 예원이는 학력을 인정받을 수 없게 된 것입니다.

앞으로는 일반 고등학교에 진학해서 제대로 경쟁해 보겠다는 예원이. 중학교 학력을 인정받지 못했는데, 일반 고등학교에 입학할 수 있는 건가요?

Advice : 학력인정시험을 통과해야 합니다.

해설

학교를 설립하려는 자는 시설 · 설비 등 대통령령으로 정하는 설립 기준을 갖추어야 하며(초 · 중등교육법 제4조 제1항), 사립학교를 설립하려는 자는 특별시 · 광역시 · 특별자치시 · 도 · 특별자치도 교육감(이하 '교육감'이라 한다)의 인가를 받아야 합니다(동법 제2항).

만약 예원이처럼 정식 인가를 받지 못한 학교를 다닌 경우 또는 정식 인가를 받은 학교에 입학했는데, 졸업하기 전에 학교 인가가 취소된 경우 중학교를 졸업한 것으로 볼 수 없을 것입니다. 위와 같이 비인가 학교로 인해 중학교를 졸업한 것으로 인정되지 않을 경우에는 원칙적으로 중학교 졸업학력 검정고시 등을 통해 수학능력을 인정받아 고등학교에 진학하여야 할 것이며, 예외적으로 중학교에 준하여 교육과정을 운영하는 학교로서 설립자, 학생 정원, 수업일 수, 학교 시설 · 설비 및 수익용 기본재산을 고려해 해당 교육과정을 충실히 운영할 수 있다고 인정되는 학교 중 교육부령으로 정하는 바에 따라 교육감이 지정 · 고시한 학교를 졸업한 사람, 교육감이 학력심의위원회의 심의를 거쳐 9년 이상의 우리나라 학교 교육과정을 마친 사람에 상응한 학력을 가진 것으로 인정한 사람, 교육감이 지정한 평생교육시설에서 중학교 교육과정에 상응한 교육과정을 마친 사람에 해당된다면 학력인정시험 없이 진학이 가능할 것입니다(초 · 중등교육법 시행령 제97조 제1항 2, 3, 4호).

초 · 중등교육법

제27조의2(학력인정 시험) ① 제2조에 따른 학교의 교육과정을 마치지 아니한 사람은 대통령령으로 정하는 시험에 합격하여 초등학교 · 중학교 또는 고등학교를 졸업한 사람과 동등한 학력을 인정받을 수 있다.

초 · 중등교육법 시행령

제97조(중학교 졸업자와 동등의 학력인정) ① 다음 각 호의 어느 하나에 해당하는 사

람은 상급학교 입학 시 중학교를 졸업한 사람과 같은 수준의 학력이 있다고 본다.

1. 중학교 졸업학력 검정고시에 합격한 사람

2. 중학교에 준하여 교육과정을 운영하는 학교로서 설립자, 학생정원, 수업일수, 학교시설 ·설비 및 수익용 기본재산을 고려하여 해당 교육과정을 충실히 운영할 수 있다고 인정되는 학교 중 교육부령으로 정하는 바에 따라 교육감이 지정 · 고시한 학교를 졸업한 사람

3. 교육감이 학력심의위원회의 심의를 거쳐 9년 이상의 우리나라 학교 교육과정을 마친 사람에 상응한 학력을 가진 것으로 인정한 사람

4. 교육감이 지정한 평생교육시설에서 중학교 교육과정에 상응한 교육과정을 마친 사람

5. 종전의 「소년원법」 제29조 제4항에 따라 중학교에 상응하는 교육과정을 마친 사람

6. 「대안학교의 설립 · 운영에 관한 규정」 제6조에 따라 중학교 과정 학력인정을 받은 사람

7. 외국에서 9년 이상 또는 중학교에 해당하는 학교 교육과정을 마친 사람

8. 제7호에 따른 학교 교육과정 외에 교육부장관이 중학교에 해당하는 학교 교육과정에 상응하는 것으로 인정하는 외국의 교육과정 전부를 마친 사람

② 제1항 제1호에 따른 검정고시에 관하여 필요한 사항은 교육부령으로 정한다.

CASE 52

항공사 기내식을 먹다가 사고를 당했다면, 보상받을 수 있을까요?

STORY

찬바람이 불기 시작한 늦가을. 여름 내내 회사 일로 바빴던 동훈 씨는 때늦은 휴가를 받아 딸 재인이와 함께 동남아 여행을 떠날 예정입니다. 잔뜩 옷을 끼어 입지 않아도 되는 동남아로 간다고 생각하니 동훈 씨는 벌써부터 몸과 마음이 가볍기만 한데요, 재인이는 한술 더 떠 아예 외투 속에 여름 원피스를 입고 비행기에 올랐습니다.

마침내 엔진 굉음과 함께 비행기가 떠오르고 안전기류에 진입하자, 곧바로 기내식이 제공되었습니다. 여행의 들뜬 분위기 때문인지 유난히 기내식을 좋아하는 재인이. 스튜어디스가 제공한 미역국을 먹으려는 순간, 갑자기 이상기류로 인해 비행기가 심하게 흔들렸습니다. 그 바람에

재인이는 미역국을 엎질렀는데 미역국이 너무 뜨거워 다리에 화상을 입게 되었습니다. 병원 치료를 받아야 할 정도의 화상을 입은 재인이, 항공사에 어떤 보상을 받을 수 있을까요?

Advice : 손해배상을 청구할 수 있습니다.

해설

안전배려의무(보호의무)

항공사는 고객과 여객운송계약에 따라 여객을 원하는 목적지까지 항공 운송하는 주된 급부의무를 부담합니다. 뿐만 아니라 여객운송계약의 그 성질상 고객을 안전하게 목적지까지 운송해야 할 신의칙상 부수적 의무로서 안전배려의무도 있습니다. 따라서 항공사가 기내에서 식사를 제공할 때에는 뜨거운 미역국, 차 같은 것을 엎지르지 않게 조심히 제공할 의무가 있으며, 혹시라도 위 사례와 같이 뜨거운 물을 엎지르더라도 고객이 화상을 입지 않도록 적절한 온도의 물을 제공해야 할 안전배려의무가 있는 것입니다.

위 사례에서는 항공사 측이 지나치게 뜨거운 미역국을 제공하였는데 기류 이상으로 재인이가 미역국을 엎질러 화상이 발생한 것이므로 이러한 안전배려의무 위반에 따른 손해배상책임이 있는 것입니다.

미국 '맥도날드 커피 소송 사건'에서는 소비자가 맥도날드에서 구매한 커피를 마시기 위해 뚜껑을 열다 실수로 커피를 엎질러 손에 화상을 입은 것과 관련하여, 위와 같은 화상의 원인이 맥도날드 측에서 필요 이상으로 뜨거운 커피를 제공하였기 때문이라며 맥도날드의 과실을 인정해 손해배상책임을 인정한 사례가 있습니다.

병원 치료를 받아야 할 정도의
화상을 입은 재인이,
항공사에 어떤 보상을 받을 수 있을까요?

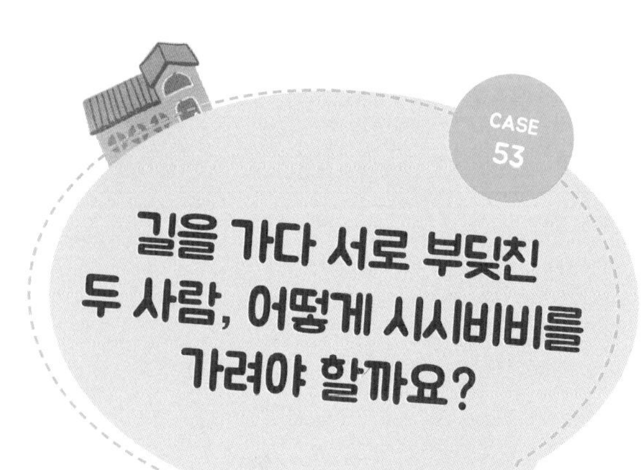

STORY

연일 영하 10도가 넘는 한파가 계속되고 있었습니다. 초등학생인 연진이는 하루의 마지막 스케줄인 영어학원을 마치고 집으로 가고 있었습니다. 연진이는 평소 학원 버스를 타고 귀가하는데, 오늘은 영어 선생님께 모르는 걸 여쭤보다가 집으로 가는 학원 버스를 놓쳤습니다.

밤이 되자 기온이 더 떨어져 점점 추워지고 바람이 더 거세어졌습니다.

연진이는 털모자를 눈 아래까지 깊숙이 눌러쓰고 집으로 종종걸음으로 가고 있었습니다.

그러다 연진이는 반대편에서 간판을 살피며 걸어오던 한 아주머니와 부딪혀 넘어졌습니다. 그다지 세게 부딪히지 않았기에 연진이는 아주머니께 사과를 드리고 일어나 집으로 가려고 하는데, 갑자기 아주머니가 화를 내면서 엄살을 부리는 것이었습니다. 중요한 일자리가 있어 막 찾아가는 중이었는데, 연진이와 부딪히는 바람에 시간 맞춰 일자리에 가기는커녕 당장 걷지도 못하겠다는 것이었습니다. 초등학생인 자기도 거의 다친 데가 없었고, 앞을 제대로 보지 않은 건 아줌마도 마찬가지이기에 연진이는 기가 막혔습니다.

그런데 아주머니는 그 후에도 입원까지 하면서 합의금으로 300만 원을 주지 않으면 고소를 하겠다고 합니다. 연진이가 정말 합의금까지 줘야 할 만큼 잘못한 건가요?

Advice : 해설을 참조하세요.

해설

아줌마와 부딪힌 경우의 법률관계

길을 가다 앞을 제대로 보지 않아 서로 부딪힌 경우 형법상으로 쌍방 폭행에 해당할 수 있으나, 우리 형법은 폭행죄의 경우 고의범만 처벌하고 과실범은 처벌하지 아니하므로 폭행죄가 성립하지 아니합니다. 그러나 서로 부딪혀 타박상 등 상처를 입었다면 과실치상죄(형법 제266조 제1항)가 성립할 수 있습니다. 형사책임과 별개로 길을 가다 서로 부딪힌 것은 민사상으로 불법행위에 해당하고, 불법행위는 과실에 의한 경우에도 성립하므로 가해자는 불법행위로 인한 손해를 배상할 책임이 있는 것입니다(민법 제750조). 다만 서로 앞을 제대로 보지 않고 걸어가다 부딪힌 것이므로 서로 간에 과실비율이 참작되어 책임이 제한될 수 있습니다.

아줌마의 허위입원

아줌마가 실제로 상해를 입었다면 과실치상죄가 성립할 수 있으므로 적절히 보상하고 합의를 하는 것이 바람직합니다(과실치상죄는 피해자의 명시한 의사에 반하여 공소를 제기할 수 없는 반의사불벌죄입니다). 만약 아줌마가 실제 심하게 충돌하지도 않았음에도 합의금을 받으려는 목적으로 허위입원하거나 과도한 치료비를 요구한다면 이는 사기죄 또는 공갈죄가 성립할 수 있습니다. 이런 경우에는 즉각 경찰에 신고하거나 변호사의 상담을 받아 적절히 대응해야 할 것입니다.

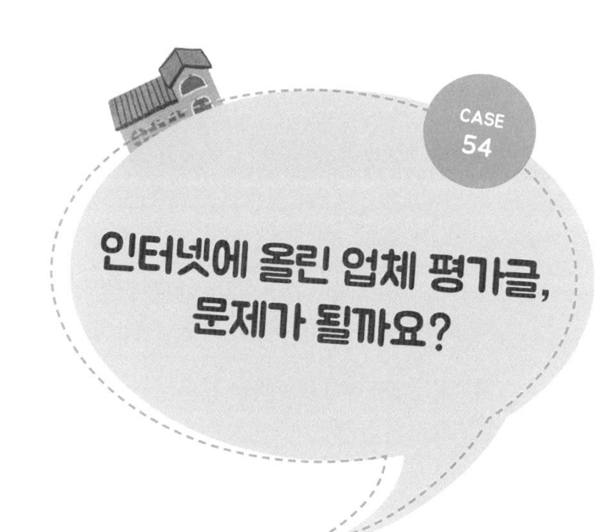

인터넷에 올린 업체 평가글, 문제가 될까요?

STORY

엄마들 사이에 최고 인기와 신뢰를 얻고 있는 OO 지역맘 카페. 민정 씨는 아들 지후가 태어난 이후부터 초등 고학년이 될 때까지 이 지역맘 카페에서 육아는 물론 교육, 의료, 문화 등 각종 정보를 얻어 유용하게 활용해왔습니다.

어느 새, 아이 키우는 데 베테랑이 된 민정 씨는 얼마 전부터는 카페를 통해 그동안 얻은 경험과 정보를 나눠주는 것을 기쁨으로 여기며 활발하게 활동하고 있습니다.

얼마 전, 어떤 초보맘이 아파트 단지 내의 소아과 중에 어떤 곳이 제일 좋은지에 대해 질문을 올렸기에 민정 씨는 의사의 실력과 친절도, 간호사들의 태도 및 병원 시설 등 소아과 병원 세 곳에 대한 자세한 평가글을 올렸습니다.

그런데 얼마 후, 민정 씨는 A병원으로부터 명예훼손 등의 이유로 고소하겠다는 연락을 받게 되었습니다. 깜짝 놀란 민정 씨가 수소문해보니, 카페에 올린 민정 씨의 평가글의 영향으로 A병원의 환자가 갑자기 줄어들었고, A병원에서 그 사실을 알게 된 것이었습니다.

분명 자신이 초보맘일 때, 이런 평가글을 보고 도움받았던 적이 있는데, 정말 이런 평가글이 고소를 당할 만큼 문제가 되는 건가요?

Advice : 정보 공유 차원이라면 문제가 되지 않습니다.

해설

명예훼손죄, 정보통신망 이용촉진 및 정보보호 등에 관한 법률 위반죄

위 사례에서 민정 씨는 인터넷 지역맘 카페에 아파트 내 소아과 병원을 다녀온 경험을 기초로 각 병원을 평가해 글을 올렸습니다. 그런데 우리 형법은 허위사실을 적시한 경우, 뿐만 아니라 사실을 적시해도 명예를 훼손하면 명예훼손죄로 처벌하고 있습니다. 또한 정보통

카페에 올린 평가글이
고소를 당할 만큼 문제가 되는 걸까요?

신망 이용촉진 및 정보보호 등에 관한 법률에서는 사람을 비방할 목적으로 정보통신망을 통하여 다른 사람의 명예를 훼손한 경우는 가중처벌하는 것으로 규정하고 있습니다. 따라서 위 사례의 경우 사실을 적시해 병원의 명예를 훼손한 것이 될 수 있습니다.

정보교류 목적의 경우

그러나 우리 형법 제310조에서는 사실을 적시해 다른 사람의 명예를 훼손할 경우에 그것이 오로지 공공의 이익에 관한 때에는 위법성을 조각해 처벌하지 않고 있습니다. 이는 표현의 자유, 알권리, 공익 등과 비교형량을 통해 일정한 경우의 사실 적시에 대해서는 위법성을 조각해 죄가 되지 아니하도록 하고 있는 것입니다.

이 사례에서 민정 씨는 나쁜 평을 받은 A병원을 특별히 비방할 목적이 있었던 것이 아니라 자신이 경험한 사실을 기초로 지역맘 카페 사람들에게 어느 병원이 더 나은지 정보를 주기 위해 글을 올린 것이므로 이는 진실한 사실로서 오로지 공공의 이익에 관한 때에 해당하여 명예훼손죄, 정보통신망 이용촉진 및 정보보호 등에 관한 법률 위반죄가 성립하지 아니하는 것입니다.

형법

제307조(명예훼손) ① 공연히 사실을 적시하여 사람의 명예를 훼손한 자는 2년 이하의 징역이나 금고 또는 500만 원 이하의 벌금에 처한다. 〈개정 1995.12.29.〉

제310조(위법성의 조각) 제307조 제1항의 행위가 진실한 사실로서 오로지 공공의 이익에 관한 때에는 처벌하지 아니한다.

정보통신망 이용촉진 및 정보보호 등에 관한 법률

제70조(벌칙) ① 사람을 비방할 목적으로 정보통신망을 통하여 공공연하게 사실을 드러내어 다른 사람의 명예를 훼손한 자는 3년 이하의 징역 또는 3,000만 원 이하의 벌금에 처한다. 〈개정 2014.5.28.〉

② 사람을 비방할 목적으로 정보통신망을 통하여 공공연하게 거짓의 사실을 드러내어 다른 사람의 명예를 훼손한 자는 7년 이하의 징역, 10년 이하의 자격정지 또는 5,000만 원 이하의 벌금에 처한다.

③ 제1항과 제2항의 죄는 피해자가 구체적으로 밝힌 의사에 반하여 공소를 제기할 수 없다.

[판례] 갑 운영의 산후조리원을 이용한 피고인이 9회에 걸쳐 임신, 육아 등과 관련한 유명 인터넷 카페나 자신의 블로그 등에 자신이 직접 겪은 불편사항 등을 후기 형태로 게시해 갑의 명예를 훼손했다는 내용으로 정보통신망 이용촉진 및 정보보호 등에 관한 법률 위반으로 기소된 사안에서, 피고인이 인터넷 카페 게시판 등에 올린 글은 자신

이 산후조리원을 실제 이용하면서 겪은 일과 이에 대한 주관적 평가를 담은 이용 후기인 점, 위 글에 '갑의 막장 대응' 등과 같이 다소 과장된 표현이 사용되기도 하였으나, 인터넷 게시글에 적시된 주요 내용은 객관적 사실에 부합하는 점, 피고인이 게시한 글의 공표 상대방은 인터넷 카페 회원이나 산후조리원 정보를 검색하는 인터넷 사용자들에 한정되고 그렇지 않은 인터넷 사용자들에게 무분별하게 노출되는 것이라고 보기 어려운 점 등의 제반 사정에 비추어 볼 때, 피고인이 적시한 사실은 산후조리원에 대한 정보를 구하고자 하는 임산부의 의사결정에 도움이 되는 정보 및 의견 제공이라는 공공의 이익에 관한 것이라고 봄이 타당하고, 이처럼 피고인의 주요한 동기나 목적이 공공의 이익을 위한 것이라면 부수적으로 산후조리원 이용대금 환불과 같은 다른 사익적 목적이나 동기가 내포되어 있다는 사정만으로 피고인에게 갑을 비방할 목적이 있었다고 보기 어렵다(대법원 2012.11.29. 선고 2012도10392 판결)고 판시한 사례가 있습니다.

CASE 55

아이 공부 때문에 주소만 살짝 옮기는 것뿐인데, 잘못인가요?

STORY

중학교 입학을 앞둔 석준이. 석준이의 부모님은 석준이가 A중학교에 입학하길 원합니다. 그 일대에선 나름 전통 있고 학업성취도도 높을 뿐만 아니라, 무엇보다 남자 중학교이기 때문입니다. 초등학교를 보내면서 석준 엄마는 여간 빠릿빠릿한 남학생이 아니라면, 중학교까진 야무진 여학생들을 상대하는 게 쉽지 않다는 걸 깨달았습니다.

그런데 주변 엄마들로부터 현 주소지에서는 남자 중학교인 A중학교가 아닌, 남녀 공학인 B중학교에 배정될 가능성이 높다는 얘기를 들었습니다. 다행스럽게도 시댁이 A중학교 학군이라 석준이 부모는 상의 끝에 할아버지가 살고 있는 아파트로 석준이의 주소를 옮겨 A중학교에 배정받기로 했습니다.

막상 주소를 옮기려니, TV에서 고위급 공무원들의 인사청문회 때 아이의 수학을 위해 집 주소를 옮긴 것이 문제가 됐던 것이 떠올라 불안한데요, 어떤 문제가 있을 수 있나요?

Advice : 주민등록법 위반에 해당합니다.

해설

할아버지 집에 주민등록이 위장전입에 해당

주민은 주소, 거주지를 이동하는 경우에는 전입 전의 주소 또는 전입지와 해당 연월일을 해당 거주지를 관할하는 시장, 군수 또는 구청장에게 신고하여야 하고(주민등록법 제10조 제1항 제7, 10호), 주민등록 또는 주민등록증에 관하여 거짓의 사실을 신고 또는 신청한 사람은 3년 이하의 징역 또는 1,000만 원 이하의 벌금에 처합니다(동법 제37조 3호의2).

원하는 학교의 배정 등을 목적으로 주소지를 허위로 신고한다면 위장전입으로 처벌받을 수 있습니다. 그런데 우리 민법의 경우 주소는 동시에 두 곳 이상 있을 수 있으므로(민법 제18조 제2항) 할아버지가 살고 있는 아파트도 주소로 볼 수 있지 않냐는 의문이 있을 수 있습니다. 주소는 생활의 근거가 되는 곳으로 국내에서 생계를 같이하는 가족 및 국내에 소재하는 자산의 유무 등 생활관계의 객관적 사실에 따라 판정하게 되어 있습니다(대법원 1984.3.27. 선고 83누548 판결).

따라서 할아버지와 생계를 같이하지도 않고 단지 원하는 학교 배정만을 위해 할아버지 집으로 주민등록을 해놓은 것이라면 주민등록법 위반이 될 것입니다.

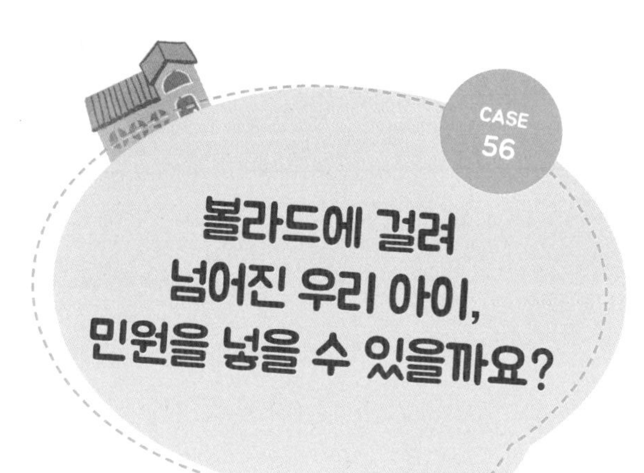

STORY

오늘은 세하의 열 번째 생일입니다. 생일을 맞아 세하네는 아빠의 퇴근 시간에 맞춰 역근처에 있는 패밀리 레스토랑에서 외식을 하기로 했습니다.

곧 도착한다는 아빠의 전화를 받은 세하는 엄마와 함께 패밀리 레스토랑 근처 지하철역으로 아빠를 마중 나갔습니다.

저 멀리 세하에게 손을 흔들고 있는 아빠의 모습이 보이자, 세하는 너무 반가운 나머지 정신없이 뛰어가다가 그만 돌로 만들어진 볼라드(bollard, 차량 진입억제용 말뚝)에 걸려 넘어졌습니다. 놀란 세하의 엄마, 아빠가 넘어진 세하를 일으켜 보니, 양쪽 무릎이 멍들고 찢어져 있었습니다.

세하 아빠는 서울시에서 볼라드를 설치, 관리한다는 사실을 알고 서울시에 항의하겠다고 합니다. 세하 엄마는 아이가 다친 건 속상하긴 하지만, 아이의 부주의로 넘어진 걸로 문제를 만드는 것 같아서 불편합니다. 이럴 경우, 서울시에 어떤 책임을 물을 수 있는 것인가요?

Advice : 국가배상법상 영조물책임을 물을 수 있습니다.

해설

보행안전시설물 설치근거 및 설치기준

볼라드는 보행자가 안전하고 편리하게 보행할 수 있도록 횡단보도 및 차량 진출입로 주변 등 보도 내에 차량진입을 막는 시설물을 말합니다. 교통약자의 이동편의 증진법(이하 '교통약자법'이라 합니다) 제21조 제1항에서는 시장이나 군수는 보행우선구역에서 자동차 진입억제용 말뚝을 보행안전시설물로 설치할 수 있다고 규정하고 있습니다. 교통약자의 이동편의 증진법 시행규칙 제9조 [별표2]에서는 자동차 진입억제용 말뚝(볼라드)의 구조 및 시설 기준을 규정하고 있는데, 볼라드는 보행자의 안전하고 편리한 통행을 방해하지 않도록 쉽게 식별이 가능하도록 하고 높이 80~100센티미터, 지름 10~20센티미터, 사이 간격 1.5미터 안팎으로 설치하도록 기준을 정하고 있습니다.

이러한 볼라드는 보행자의 통행에 지장이 없도록 안전하게 설치되고 관리되어야 합니다. 보행자의 통행 안전을 위한 시설이 보행자의 통행을 방해하고 위태롭게 만들면 안 되기 때문에, 시각적으로 잘 보이고 부딪혔을 경우에도 다치지 않도록 볼라드 설치기준을 만들어 놓은 것입니다. 만약 볼라드 설치기준에 부적합하게 설치된 볼라드는 통상 갖추어야 할 안전성을 갖추지 못한 것으로 하자가 있는 것이라 할 것입니다.

위 사례에서 볼라드는 보행자 등의 충격을 흡수할 수 있는 재료로 만들어야 하는데, 돌 재질의 볼라드를 설치해 볼라드가 본래 갖추어야 할 안전성을 갖추지 못한 것이므로 세하의 부모님은 관리청인 서울시에 국가배상법 제5조 제1항에 따라 영조물책임*을 물을 수 있을 것입니다.

---

* 교통약자법에 따라 시장이나 군수가 보도 내 설치한 볼라드는 국가 또는 공공단체에 의해 공공의 목적에 제공된 물적 시설인 바, 국가배상법이 적용되는 "영조물"에 해당합니다.

볼라드에 걸려 넘어진 아이,
서울시에 어떤 책임을 물을 수 있나요?

교통약자의 이동편의 증진법

제21조(보행안전시설물의 설치) ① 시장이나 군수는 보행우선구역에서 보행자가 안전하고 편리하게 보행할 수 있도록 다음 각 호의 보행안전시설물을 설치할 수 있다.

1. 속도저감시설
2. 횡단시설
3. 대중교통정보 알림시설 등 교통안내시설
4. 보행자 우선통행을 위한 교통신호기
5. 자동차 진입억제용 말뚝
6. 그 밖에 보행자의 안전과 이동편의를 위하여 대통령령으로 정하는 시설(보도용 방호울타리)

교통약자의 이동편의 증진법 시행규칙

제9조(보행안전시설물의 구조 등) 법 제21조 제3항에 따른 보행안전시설물의 구조 및 시설기준은 [별표 2]와 같다.

[별표2]

6. 자동차 진입억제용 말뚝

가. 자동차 진입억제용 말뚝은 보행자의 안전하고 편리한 통행을 방해하지 아니하는 범위 내에서 설치하여야 한다.

나. 자동차 진입억제용 말뚝은 밝은 색의 반사도료 등을 사용하여 쉽게 식별할 수 있도록 설치하여야 한다.

다. 자동차 진입억제용 말뚝의 높이는 보행자의 안전을 고려하여 80~100센티미터로 하고, 그 지름은 10~20센티미터로 하여야 한다.

라. 자동차 진입억제용 말뚝의 간격은 1.5미터 안팎으로 하여야 한다.

마. 자동차 진입억제용 말뚝은 보행자 등의 충격을 흡수할 수 있는 재료를 사용하되, 속도가 낮은 자동차의 충격에 견딜 수 있는 구조로 하여야 한다.

바. 자동차 진입억제용 말뚝의 0.3미터 전면(前面)에는 시각장애인이 충돌 우려가 있는 구조물이 있음을 미리 알 수 있도록 점형블록을 설치하여야 한다.

국가배상법

제5조 (공공시설 등의 하자로 인한 책임) ① 도로 · 하천, 그 밖의 공공의 영조물(營造物)의 설치나 관리에 하자(瑕疵)가 있기 때문에 타인에게 손해를 발생하게 하였을 때에는 국가나 지방자치단체는 그 손해를 배상하여야 한다. 이 경우 제2조 제1항 단서, 제3조 및 제3조의2를 준용한다.

② 제1항을 적용할 때 손해의 원인에 대하여 책임을 질 자가 따로 있으면 국가나 지방자치단체는 그 자에게 구상할 수 있다.

CASE 57

마트 광고판에 이마가 찢긴 아이, 보상받을 수 있을까요?

STORY

이제 막 사춘기에 접어든 규담이. 평소 엄마에 대한 마음이 깊은 규담이는 작년까지만 해도 엄마가 가는 곳이라면 어디든 항상 함께했습니다. 일 때문에 바쁜 아빠를 대신해 엄마의 친구가 되어주려는 마음에서였습니다. 그런데 최근 들어서는 규담이가 엄마의 부탁을 모두 거절하고 있어, 엄마는 서운한 마음이 앞섭니다.

그날도 규담이 엄마는 귀찮다고 혼자 마트에 다녀오라는 규담이를 달래서 겨우 마트로 향했습니다. 마트가 있는 상가 입구에 규담이와 엄마가 도착했을 때, 마침 상가 과일가게에서 세워놓은 대형 광고판이 돌풍에 넘어지는 바람에 그 앞을 지나가던 규담이가 다치고 말았습니다. 규담이의 이마가 광고판 모서리에 찍혀 피가 많이 난 것입니다.

규담이의 찢어진 이마를 보고 있자니, 오기 싫다는 아이를 굳이 끌고 온 규담이 엄마는 죄책감마저 듭니다. 어떤 구제책이 있을까요?

Advice : 손해배상을 청구할 수 있습니다.

해설

공작물의 하자로 인한 배상책임

'공작물'이란 인공적 작업에 의하여 제작된 물건으로, 과일가게에서 세워놓은 광고판은 공작물에 해당합니다. 광고판의 경우 바람에 넘어질 위험도 있기 때문에 안전하게 설치해야 하고, 보행자의 통행에 방해를 해서는 안 될 것입니다.

그런데 과일가게에서는 광고 효과만 생각하고 바람에 넘어질 경우는 신경을 쓰지 않고 큰 광고판을 설치해 광고판이 바람에 넘어진 것입니다. 이러한 경우 우리 민법에서는 1차적으로는 공작물의 점유자가 공작물의 하자로 인한 손해배상책임을 부담하고, 점유자가 손해방지에 필요한 주의를 헤태하지 아니한 경우에는 2차적으로 소유자가 그 손해를 배상할 책임을 부과하고 있습니다(제758조).

따라서 규담이는 광고판이 안전하게 설치되지 않아서 넘어져 다친 것에 대해 과일가게에 손해배상을 구할 수 있을 것입니다.

민법

제758조(공작물 등의 점유자, 소유자의 책임) ① 공작물의 설치 또는 보존의 하자로 인하여 타인에게 손해를 가한 때에는 공작물 점유자가 손해를 배상할 책임이 있다. 그러나 점유자가 손해의 방지에 필요한 주의를 해태하지 아니한 때에는 그 소유자가 손해를 배상할 책임이 있다.

CASE 58

부모 허락 없이 아이가 몰래 판 카메라, 돌려받을 수 있을까요?

STORY

초등학교 4학년인 재후는 게임 때문에 요즘 엄마와 매일 전쟁을 치르고 있습니다. 주변의 친구들 중 게임 안 하는 친구가 없고, 해야 할 공부를 미루는 것도 아닌데, 희한하게 재후 엄마는 게임에 대해서는 재후의 부탁을 절대로 들어주지 않습니다.

그러던 중 재후가 엄마와 함께 세운 게임 이용 규칙을 세 번 연속 못 지키자, 재후 엄마는 스마트폰을 압수하고 용돈마저 끊어버렸습니다.

재후는 자기가 잘못한 것은 인정하지만, 처벌이 과하다고 생각해 홧김에 아빠의 고가 카메라를 몰래 중고로 팔아버렸습니다. 그리고 그 돈으로 닌텐도를 샀습니다.

뒤늦게 그 사실을 알게 된 재후 아빠. 재후의 잘못된 행동은 추후에 다시 얘기할 문제이고, 우선 카메라만큼은 꼭 되찾아야 한다고 하시는데요, 가능할까요?

Advice : 회수할 수 있습니다.

해설

아빠 카메라를 아빠 몰래 팔아도 매매 자체는 유효

재후가 아빠의 카메라를 대신 팔 수 있는지 우선 문제가 됩니다. 일반적으로 매매계약은 자기 소유의 물건을 판매하는 경우가 많으나, 타인 소유의 물건을 매매하더라도 타인으로부터 그 물건을 취득해 매수인에게 인도하면 되기 때문에 매매계약 자체는 유효한 것이고, 인도가 되지 않을 경우, 매수인이 계약을 해제할 수 있는 등 담보책임(민법 제569조)이 문제될 뿐입니다.

법정대리인의 동의 없는 경우 취소 가능

위 사례에서 재후는 이미 아빠의 카메라를 팔고 매수인에게 인도하였는 바, 매수인 측에서 계약의 불이행을 이유로 매매계약을 해제하는 등 담보책임을 물을 여지는 없습니다. 그러나 재후 아빠 입장에서 보면 자신의 물건을 재후가 허락도 없이 임의로 팔아버린 것이 됩니다. 재후와 같이 아직 지적 판단능력이 부족한 미성년자의 경우 정상적이고 합리적으로 법률행위를 할 가능성이 없기에 우리 민법은 미성년자의 경우 법정대리인의 동의를 얻어 법률행위를 하도록 하고 있으며, 법정대리인의 동의 없이 단독으로 한 행위는 미성년자 또는 법정대리인이 취소할 수 있도록 규정하고 있습니다(동법 제5조).

따라서 재후 아빠는 매수인을 찾아 법정대리인의 동의 없음을 이유로 재후가 한 카메라 매매계약을 취소하고 카메라를 회수할 수 있을 것입니다.

민법

제5조(미성년자의 능력) ① 미성년자가 법률행위를 함에는 법정대리인의 동의를 얻어야 한다. 그러나 권리만을 얻거나 의무만을 면하는 행위는 그러하지 아니하다.

② 전항의 규정에 위반한 행위는 취소할 수 있다.

CASE 59

강아지를 잠시 돌보던 중 사고가 생겼는데 책임져야 하나요?

STORY

민희는 할머니 댁에서 키우는 강아지를 무척이나 좋아합니다. 그래서 할머니가 1주일간 해외여행을 간 사이 민희가 할머니를 대신해 강아지를 맡아 돌보아주기로 했습니다. 평소에 할머니 댁에 놀러갔을 때 강아지랑 잘 놀았기 때문에 1주일간 강아지를 돌보아주는 일이 전혀 어려울 거라고 생각하지 않고 강아지를 집으로 데리고 왔습니다.

민희는 저녁을 먹고 강아지와 함께 산책을 나갔습니다. 그런데 산책을 하던 강아지가 때마침 자전거를 타고 지나가는 남자아이를 향해 맹렬히 짖으며 달려드는 것입니다. 놀란 민희가 강아지를 말리려 쫓아갔지만, 강아지에 놀란 아이가 자전거에서 넘어져 다치고 말았습니다.

할머니의 강아지를 잠시 맡아보던 중 이런 불미스런 사고가 생겼는데, 이런 경우에 민희에게도 책임이 있는 건가요?

Advice : 동물의 점유자가 책임을 져야 합니다.

해설

강아지를 키우거나 관리하는 사람은 강아지가 타인에게 위해를 가하지 않도록 교육시키고 안전조치를 취할 주의의무*가 있습니다. 민법 제759조에서도 『① 동물의 점유자는 그 동물이 타인에게 가한 손해를 배상할 책임이 있다. 그러나 동물의 종류와 성질에 따라 그 보관에 상당한 주의를 해태하지 아니한 때에는 그러하지 아니하다. ② 점유자에 갈음하여 동물을 보관한 자도 전항의 책임이 있다』고 규정하여 이러한 주의의무 위반으로 타인에게 손해가 발생할 경우 손해배상책임을 인정하고 있습니다.

* 강아지는 사람이 빨리 뛰어가거나 자전거를 타고 가면 짖으며 쫓아가는 습성이 있는 바, 교육을 충분히 시키거나 목 끈 등 안전장치를 부착하였다면 사람이 뛰어가거나 자전거를 타고 가도 크게 짖거나 무리하게 쫓아가지 않을 것입니다.

위 사례에서 민희가 할머니로부터 강아지를 잠시 맡아 돌보아주기로 하였다면 동물의 점유자에 해당하는 것이고, 강아지를 데리고 산책을 갈 경우 강아지가 다른 사람에게 달려들어 위협을 하거나 다치게 하지 않도록 교육 또는 안전조치를 취할 의무가 있는 것입니다. 1주일 잠시 돌보는 동안에 교육을 하기는 쉽지 않을 것이므로 민희가 강아지와 외출할 경우 혹시나 모를 상황에 대비하여 목줄을 하고 나가는 등 안전조치를 취했어야만 하는 것입니다. 따라서 민희에게는 민법 제759조에 따라 동물의 점유자로서 손해배상책임이 있는 것입니다.

민법

제759조(동물의 점유자의 책임) ① 동물의 점유자는 그 동물이 타인에게 가한 손해를 배상할 책임이 있다. 그러나 동물의 종류와 성질에 따라 그 보관에 상당한 주의를 해태하지 아니한 때에는 그러하지 아니하다.

② 점유자에 갈음하여 동물을 보관한 자도 전항의 책임이 있다. 〈개정 2014.12.30.〉

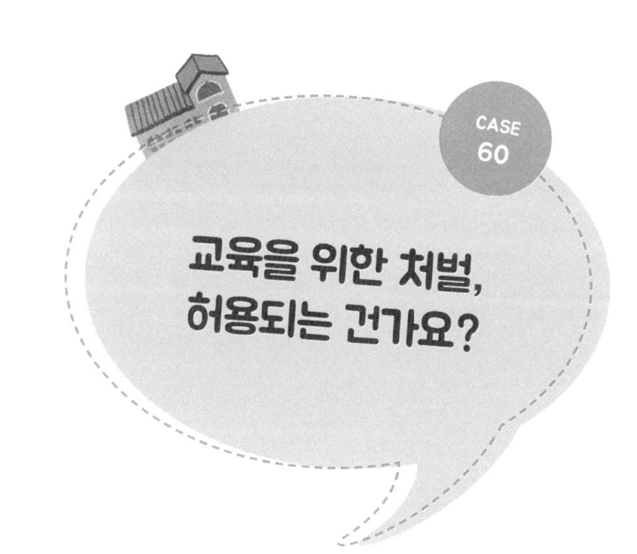

STORY

중학교 1학년인 종현이는 얼마 후, 생애 첫 중간고사를 치르게 됩니다. 초등학교까지는 지필고사가 없었기 때문에 학교에서 정식으로 시험을 보는 건 이번이 처음입니다.

얼마 전, 체육 선생님께서도 중간고사 직전의 체육 시간에는 운동장에서 수업을 하는 대신, 교실에서 이론 수업을 하겠다면서 교과서를 꼭 준비하라고 이르셨습니다. 첫 시험을 잘 치르고 싶었던 종현이는 시험 공부에 집중하느라, 이미 예고됐던 체육 시간에 교과서를 준비하는 걸 깜빡 잊어버렸습니다. 체육 수업 전에 다른 반 친구들에게 체육 교과서를 빌려보려 했으나, 여의치 않아 결국 그냥 수업에 들어갈 수밖에 없었습니다. 결국 종현이는 교과서가 없다는 이유로 체육 선생님께 회초리로 손바닥을 맞았습니다.

그날 밤, 종현이는 체육 시간에 회초리를 맞았다고 부모님께 말씀드렸더니, 아빠는 그 정도 훈육은 있을 수 있는 일이라며 대수롭지 않게 여기는 반면, 엄마는 말로 가르쳐도 될 일을 굳이 체벌까지 했어야 했냐며 그냥 넘어갈 수 없다고 합니다. 누구의 말이 맞는 건가요?

Advice : 체벌은 금지됩니다.

해설

체벌의 허용 여부

체벌이란 교육적 목적을 달성하기 위해 학생에게 신체와 정신에 직·간접적으로 고통을 주는 제재의 일종입니다. 선생님이 자신의 신체나 도구를 이용하여 학생의 신체에 접촉하여 고통을 주는 경우(직접적 체벌)뿐만 아니라 팔굽혀펴기, 운동장 돌기 등 신체의 직접적 접촉이 없이 고통을 주는 경우(간접적 체벌)도 체벌에 해당합니다.

과거에는 체벌은 학생의 잘못을 일깨워주고 학생의 행동을 교정시키는 등 학생의 성장에 도움이 된다고 생각하여 묵인되고 허용이 되어왔습니다. 대법원 판례도 『교사의 학생에 대한 체벌이 징계권의 행사로서 정당행위에 해당하려면 그 체벌이 교육상의 필요가 있고 다른 교육적 수단으로는 교정이 불가능하여 부득이 한 경우에 한하는 것이어야 할 뿐만 아니라 그와 같은 경우에도 그 체벌의 방법과 정도에는 사회관념상 비난받지 아니할 객관적 타당성이 있지 않으면 안 된다(대법원 1991.05.28. 선고 90다17972 판결)』고 하여 교육상 불가피하고, 방법과 정도에 있어 타당성이 있다면 체벌이 허용되었습니다.

그러나 체벌은 다른 제재수단과 달리 학생의 정신적, 신체적 건강을 해하며, 그 효과도 일시적인 경우가 많으며, 폭력성을 야기시키는 등의 부작용이 많아 2011년 3월 18일 개정된 초 · 중등교육법 시행령 제31조 제8항에서는 도구, 신체 등을 이용한 직접적인 체벌을 전면 금지하게 되었습니다.

따라서 현재에는 어떠한 경우에도 매를 때리는 것과 같은 신체에 고통을 가하는 직접적인 체벌은 허용되지 아니하는 것입니다. 다만, 얼차려 또는 기합과 같은 간접적 체벌과 관련하여서는 초 · 중등교육법 시행령 제31조 제8항에 따라 형법 제20조의 법령에 의한 행위 또는 기타 사회상규에 위배되지 아니하는 행위로 위법성이 조각될 수 있다는 견해와 초·중등교육법 시행령 제31조 제8항에서 학생의 신체에 고통을 가하는 방법은 전면적으로 금지하고 있기 때문에 간접적 체벌도 허용되지 않는다는 견해(국가인권위원회)로 의견이 대립되고 있습니다.*

초·중등교육법

제18조(학생의 징계) ① 학교의 장은 교육상 필요한 경우에는 법령과 학칙으로 정하는 바에 따라 학생을 징계하거나 그 밖의 방법으로 지도할 수 있다. 다만, 의무교육을 받고 있는 학생은 퇴학시킬 수 없다.

② 학교의 장은 학생을 징계하려면 그 학생이나 보호자에게 의견을 진술할 기회를 주는 등 적정한 절차를 거쳐야 한다.

초·중등교육법 시행령

제31조(학생의 징계 등) ⑧ 학교의 장은 법 제18조 제1항 본문에 따라 지도를 할 때에는 학칙으로 정하는 바에 따라 훈육·훈계 등의 방법으로 하되, 도구, 신체 등을 이용하여 학생의 신체에 고통을 가하는 방법을 사용해서는 아니된다. 〈개정 2011.3.18〉

* 서울특별시 교육청에서는 2010년 8월 금지해야 할 체벌의 유형으로 "1. 도구를 이용한 체벌, 2. 손, 발 등 신체를 이용한 체벌, 3. 반복적·지속적 신체 고통을 유발하는 기합 형태의 체벌, 4. 학생들끼리 체벌하도록 강요하는 행위"를 들고 있으며, 체벌을 대체할 프로그램으로 "교실 뒤에 서서 수업참여, 생각하는 의자에 앉아 수업참여, 성찰교실, 생활평점제 운영, 봉사 및 노작활동 참여, 학부모 내교 및 면담 등"을 예로 제시하고 있습니다(〈서울 학생인권조례 바로알기〉 제12쪽).

제20조(정당행위) 법령에 의한 행위 또는 업무로 인한 행위 기타 사회상규에 위배되지 아니하는 행위는 벌하지 아니한다.

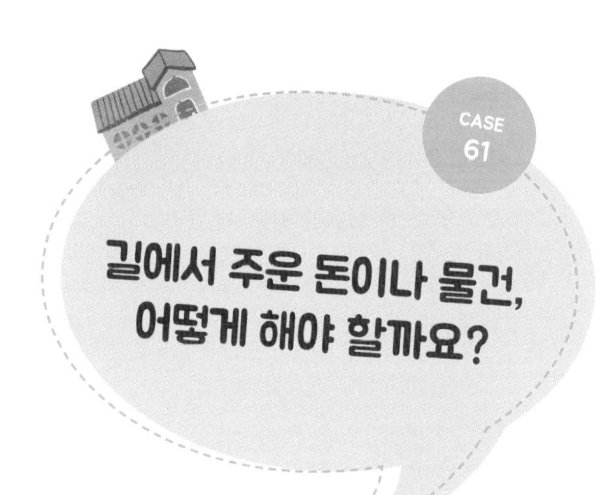

STORY

놀기 대장인 성민이는 해질 무렵까지 신나게 놀다가 친구들이 하나둘씩 사라지자, 어쩔 수 없이 집으로 발걸음을 돌렸습니다. 숙제할 생각을 하니 벌써부터 마음이 울적해 성민이는 애꿎은 돌들만 괴롭히며 터덜터덜 걸어가고 있었습니다.

그러다 성민이는 만 원짜리 지폐 한 장이 떨어져 있는 것을 발견했습니다. 웬 떡인가 싶어 성민이는 얼른 주워 아파트 상가에 있는 문방구로 직행하여 평소 사고 싶었던 장난감들을 샀습니다.

집에 온 성민이의 손에 새로운 장난감이 잔뜩 들려 있는 것을 본 성민이 엄마는 깜짝 놀라 장난감이 생긴 경로를 추궁하였습니다. 그랬더니 성민이는 집에 오는 길에 주운 만 원 짜리로 장난감을 샀다고 고백했습니다.

성민이 엄마는 만 원이나 되는 큰돈을 겁 없이 쓴 성민이를 일단 호되게 야단치긴 했는데, 그 다음 어떻게 해야 할지 몰라 난감했습니다.

보통 길에서 주운 돈은 어떻게 해야 하나요?

Advice : 경찰서에 제출해야 합니다.

해설

유실물의 소유권

성민이가 주은 만 원짜리 지폐는 누군가가 소지하고 있다가 분실한 것을 주은 것으로 이러한 물건을 법률상 용어로 '유실물(점유자의 의사에 기하지 않고 점유를 이탈한 물건)'이라고 합니다. 소유자가 없는 무주물의 경우에는 소유의 의사로 점유한 자가 그 소유권을 취득하나(민법 제252조 제1항), 유실물은 법률에 정한 바에 의하여 공고한 후 1년 내에 그 소유자가 권리를 주장하지 아니하면 습득자가 그 소유권을 취득하게 됩니다(동법 제253조).

유실물법 제1조 제1항에서는 『타인이 유실한 물건을 습득한 자는 이를 신속하게 유실자 또는 소유자, 그 밖에 물건회복의 청구권을 가진 자에게 반환하거나 경찰서(지구대 · 파출소 등 소속 경찰관서를 포함한다. 이하 같다) 또는 제주특별자치도의 자치경찰단 사무소(이하 '자치경찰단'이라 한다)에 제출하여야 한다. 다만, 법률에 따라 소유 또는 소지가 금지되거나 범행에 사용되었다고 인정되는 물건은 신속하게 경찰서 또는 자치경찰단에 제출하여야 한다』고 규정함으로써 유실물의 습득자에게 유실물을 반환하거나 제출할 의무를 부과하고 있고, 그에 따라 물건을 반환받는 자는 물건가액의 100분의 5 이상 100분의 20 이하의 범위에서 보상금을 습득자에게 지급하도록 하고 있습니다(동법 제4조).

금전의 경우 물건의 그 자체는 중요치 않으며 수량으로 표시되는 화폐가치가 중요한 것이므로, 성민이가 이미 습득한 만 원짜리 지폐로 장난감을 샀다 하더라도 동일한 만 원짜리 지폐를 경찰서에 제출하면 되는 것이고, 유실물법에 따른 공고(동법 제16조에 따라 경찰청 유실물 종합안내 www.lost112.go.kr를 통하여 제공됨)를 거쳐 1년 내에 그 소유자가 나타나지 않는다면 성민이가 위 돈을 취득하게 될 것입니다.

보통 길에서 주운 돈은
어떻게 해야 하나요?

CASE 62

SNS에 거짓말로 악플을 올리면, 어떻게 되나요?

STORY

얼마 전, 호동이는 벼르고 벼려서 〈마인 크래프트〉 최신 버전 가이드북을 샀습니다. 이 사실을 알고 있는 종민이가 호동이에게 딱 한 번만 읽고 돌려주겠다고 하도 사정하기에 호동이는 큰마음을 먹고 빌려주었습니다.

그런데 아니나 다를까, 호동이가 걱정하던 일이 벌어졌습니다. 빌려준 책이 찢어진 것입니다. 호동이가 종민이를 나무랐더니 종민이는 성의 없이 대충 사과한 후 가버렸습니다.

화가 난 호동이가 순간 이성을 잃고 종민이에게 달려드는 바람에 몸싸움이 시작되었는데, 덩치만 컸지 싸울 줄 모르는 호동이는 결국 종민이에게 흠씬 얻어맞았습니다.

억울한 호동이는 집에 와서 홧김에 종민이의 페이스북에 종민이가 친구들을 때리고 돈까지 빼앗는 질 나쁜 친구라는 허위사실을 올렸습니다. 그 글은 순식간에 친구들 사이에 퍼져 종민이는 순식간에 나쁜 사람으로 몰렸습니다. 이런 경우, 호동이는 어떻게 되는 건가요?

Advice : 명예훼손죄로 처벌받을 수 있습니다.

해설

허위사실 유포의 처벌

인터넷이라는 새로운 정보교류망이 나타남으로 인해 새로운 범죄도 생겨났습니다. 그 중 하나가 위 사례와 같은 SNS상의 악플입니다. 호동이는 종민이에게 맞은 것이 너무나 분한 나머지 종민이의 명예를 훼손하기 위해 종민이의 페이스북에 종민이가 친구들을 때리고 돈을 빼앗는다는 등의 허위사실을 게시하여 여러 사람으로 하여금 그 글을 보게 한 것입니다.

이렇게 인터넷이라는 가상의 공간에 특정인에 대해 명예훼손적인 글을 올려 그 특정인의 명예를 실추시키는 경우, 가상의 공간에서 이루어졌다고 하여 처벌에서 제외되는 것이 아니라 현실 공간에서 이루어진 것과 동일하게 형법상 명예훼손죄로 처벌받을 수 있습니다.

뿐만 아니라 타인을 비방할 목적으로 명예훼손을 한 경우에는 정보통신망 이용촉진 및 정보보호 등에 관한 법률에 따라 가중처벌될 수 있습니다.

형법

제307조(명예훼손) ① 공연히 사실을 적시하여 사람의 명예를 훼손한 자는 2년 이하의 징역이나 금고 또는 500만 원 이하의 벌금에 처한다.

② 공연히 허위의 사실을 적시하여 사람의 명예를 훼손한 자는 5년 이하의 징역, 10년 이하의 자격정지 또는 1,000만 원 이하의 벌금에 처한다.

정보통신망 이용촉진 및 정보보호 등에 관한 법률

제70조(벌칙) ① 사람을 비방할 목적으로 정보통신망을 통하여 공공연하게 사실을 드러내어 다른 사람의 명예를 훼손한 자는 3년 이하의 징역 또는 3,000만 원 이하의 벌금에 처한다.

② 사람을 비방할 목적으로 정보통신망을 통하여 공공연하게 거짓의 사실을 드러내어 다른 사람의 명예를 훼손한 자는 7년 이하의 징역, 10년 이하의 자격정지 또는 5,000만 원 이하의 벌금에 처한다.

③ 제1항과 제2항의 죄는 피해자가 구체적으로 밝힌 의사에 반하여 공소를 제기할 수 없다.

종민이가 실수로 호동이의 책을 찢은 것은 형법상 손괴행위에 해당하나 손괴죄는 고의범만 처벌하기 때문에 형사책임이 발생하지는 아니하고, 민사상 손해배상책임만 발생하게 됩니다.

CASE 63

학생 인권을 무시한 두발단속, 정당한 걸까요?

STORY

말죽거리에 있는 A고등학교에 진학한 희준. 최근 학교 주변에서 중학생이 돈을 강제로 빼앗겼다는 소문이 돌았지만, 남학교 주변에서는 흔히 벌어지는 일이라 희준이는 대수롭지 않게 여겼습니다.

그런데 학교에서는 이번 기회에 면학 분위기를 조성하고, 학생 관리 기강을 잡겠다면서 전교생을 대상으로 일명 '스포츠머리'로 짧게 깎아오라는 지침을 내렸습니다. 갑작스러운 학교의 강제 지침에 희준이와 친구들은 무척 당황스러웠습니다.

싫어도 어쩔 수 없이 지침대로 스포츠머리를 한 친구들과는 달리, 지금껏 한 번도 짧은 머리를 해본 적이 없는 희준이는 고민 끝에 원래 머리

모양 그대로 등교했습니다.

그러자 교문에서 두발단속을 하던 학생부장 선생님께서 희준이의 머리 한가운데를 이발기(속칭 바리깡)로 밀어버리는 것이었습니다. 부모님 시절에나 있었던 해프닝이라고만 여겼는데, 실제로 당하고 나니 희준이는 치욕스러웠습니다.

아무리 교육 차원의 지침이라도 너무 일방적인 것 같은데, 이런 일이 정말 정당한 건가요?

Advice : 인권침해에 해당합니다.

해설

학생 통제와 학생의 인권

모든 국민은 능력에 따라 균등하게 교육을 받을 권리가 있습니다(헌법 제31조 제1항). 교육을 통해 국민은 자신의 인격을 도야하고, 자주적 생활능력과 민주시민으로서의 필요한 자질을 갖추게 됩니다. 다중을 대상으로 집체교육이 이루어지는 학교에서는 교육의 실효성 확보 등을 위해 학칙을 제정하고 그에 따른 통제를 하곤 합니다.

위 사례도 면학분위기 조성 및 학생 관리를 이유로 두발단속을 하고 있는 것입니다. 그러나 학생도 국민의 일원으로 헌법에서 보장하고 있는 기본권(인권)을 당연히 가지고 있는 바, 단지 교육의 실효성 확보를 위해 학생의 기본권(인권)을 제한해도 참고 있어야만 하는 것인지가 문제되는 것입니다.

학생인권보호를 위한 관련규정

과거에는 일반인에 대해서도 두발단속, 치마길이 단속 등이 빈번히 이루어졌고, 학생의 경우에는 용모, 복장, 소지품 단속 등 그 제한 정도가 더 심했습니다. 그럼에도 그러한 학교의 지도에 대해 교육이라는 이름하에 용인하고 묵인해왔던 것이 현실입니다.

그러나 이러한 교육이라는 이름하에 이루어진 각종 규제는 모두 학생의 인권을 유린하고 침해하는 것이라는 지적, 반성에 따라 교육기본법 및 초 · 중등교육법에서는 학생의 인권을 존중하고 보호하도록 명문으로 규정하게 되었고, 학생에게는 학교의 규칙을 준수하고 학내의 질서를 문란하게 하지 않도록 의무를 부과했습니다.
그에 따라 서울특별시,* 경기도,** 광주광역시,*** 전라북도**** 등

* **서울특별시 학생인권조례 제12조(개성을 실현할 권리)** ① 학생은 복장, 두발 등 용모에 있어서 자신의 개성을

학생인권조례에서는 "학생은 복장, 두발 등 용모에 있어서 자신의 개성을 실현할 권리를 가지며, 학교의 장 및 교직원은 학생의 의사에 반하여 복장, 두발 등 용모에 대해 규제하여서는 아니된다"는 취지로 규율하고 있습니다(전라북도 학생인권 조례에서는 두발에 대해서도 학교규칙으로 제한할 수 있는 것으로 되어 있으나 헌법, 관계법령 및 다른 지자체의 학생인권조례와 비교하여 볼 때 위헌 소지가 있어 앞으로 개정될 것으로 보입니다).

희준이와 같이 인권의 침해를 받은 학생뿐만 아니라 누구든지 교육청에 설치된 학생인권옹호관에게 그에 관한 구제신청을 할 수 있으며(서울특별시 학생인권조례 제47조 제1항), 학생인권옹호관은 사건을 조사한 후 인권침해나 차별행위가 있었다고 판단될 경우에는 가

실현할 권리를 갖는다.

② 학교의 장 및 교직원은 학생의 의사에 반하여 복장, 두발 등 용모에 대해 규제하여서는 아니된다. 다만, 복장에 대해서는 학교규칙으로 제한할 수 있다.

** **경기도 학생인권조례 제11조(개성을 실현할 권리)** ① 학생은 복장, 두발 등 용모에 있어서 자신의 개성을 실현할 권리를 가진다.

② 학교는 두발의 길이를 규제하여서는 아니된다.

③ 학교는 정당한 사유와 제18조의 절차를 따르지 아니하고는 학교의 규정으로써 제1항의 권리를 제한할 수 없다.

*** **광주광역시 학생인권보장 및 증진에 관한 조례 제14조(표현의 자유)** ① 학생은 다양한 수단을 통해 자유롭게 자신의 생각을 표현하고 그 의견을 존중받을 권리를 가진다. ② 학생은 두발, 복장 등 자신의 용모를 스스로 결정할 권리를 가진다. 다만, 교복은 제15조 제3항의 절차에 따라 학교 규정으로 정할 수 있다.

**** **전라북도 학생인권조례 제12조(개성을 실현할 권리)** ① 학생은 복장, 두발의 길이 · 모양 · 색상 등 용모에서 자신의 개성을 실현할 권리를 가진다.

② 교복을 입는 학교의 여학생은 치마와 바지에 대한 선택권을 가진다.

③ 학교의 장은 교육목적상 정당한 사유가 있는 경우에 이 조례 제19조 제2항에 정한 절차를 거쳐 정하는 학교의 규정으로 제1항의 권리를 제한할 수 있다.

해자나 관계인 또는 교육감에게 ① 학생인권침해 행위의 중지, ② 인권회복 등 필요한 구제조치, ③ 인권침해에 책임이 있는 사람에 대한 주의, 인권교육, 징계 등 적절한 조치, ④ 동일하거나 유사한 인권침해의 재발을 방지하기 위하여 필요한 조치 등을 하도록 권고하거나 필요한 조치를 하게 됩니다(동 조례 제49조). 만약 교육청에 학생인권옹호관이 설치되어 있지 않다면 국가인권위원회에 진정을 넣을 수 있습니다.

교육기본법

제12조(학습자) ① 학생을 포함한 학습자의 기본적 인권은 학교교육 또는 사회교육의 과정에서 존중되고 보호된다.

② 교육내용 · 교육방법 · 교재 및 교육시설은 학습자의 인격을 존중하고 개성을 중시하여 학습자의 능력이 최대한으로 발휘될 수 있도록 마련되어야 한다.

③ 학생은 학습자로서의 윤리의식을 확립하고, 학교의 규칙을 준수하여야 하며, 교원의 교육 · 연구활동을 방해하거나 학내의 질서를 문란하게 하여서는 아니된다.

초 · 중등교육법

제18조의4(학생의 인권보장) 학교의 설립자 · 경영자와 학교의 장은 「헌법」과 국제인권조약에 명시된 학생의 인권을 보장하여야 한다.